D0122267

Herr Klingsor konnte
ein bißchen zaubern

Otfried Preußler

Herr Klingsor konnte
ein bißchen zaubern

Mit Illustrationen von
Dietrich Lange

Thienemann

CIP-Kurztitelaufnahme der Deutschen Bibliothek

Preußler, Otfried:
Herr Klingsor konnte ein bißchen
zaubern / Otfried Preußler. Mit
Illustrationen von Dietrich Lange. –
Stuttgart; Wien: Thienemann, 1987
ISBN 3 522 16480 6

Gesamtausstattung Dietrich Lange in Hamburg
Schrift Garamond Antiqua
Satz Setzerei G. Müller in Heilbronn
Reproduktionen Reisacher Repro in Stuttgart
Druck und Bindung Clausen & Bosse in Leck
© 1987 by K. Thienemanns Verlag in Stuttgart – Wien
Printed in Germany. Alle Rechte vorbehalten.
5   4

*Für
Johanna
und
Maria Elisabeth*

Inhaltsverzeichnis

Eine wirklich wahre Geschichte

Soll ich euch eine Geschichte erzählen, die wirklich wahr ist? Es ist die Geschichte von einem Lehrer, der zaubern konnte. Er hieß Herr Klingsor und war kein besonders großer Zauberer – aber immerhin!

Und diese Geschichte, werdet ihr fragen, soll eine wirklich wahre Geschichte sein? Darauf kann ich nur antworten: Ja, das ist sie. Wie alle meine Geschichten.

Wer mir meine Geschichten glaubt, für den sind sie nämlich wahr. Und wer sie mir nicht glaubt, für den sind sie nicht wahr – aber er tut mir ein bißchen leid.

Übrigens hat sich Herrn Klingsors Geschichte in meiner Heimatstadt Reichenberg zugetragen. Reichenberg ist eine deutsche Stadt im Königreich Böhmen gewesen; das ist nun schon lange her.

Bei uns in Reichenberg hat es viele Schulen gegeben. Eine davon war die Öffentliche Volksschule in der früheren Erzherzog-Rudolf-Straße, kurz Rudolfschule genannt. Schon meine Eltern sind dort zur Schule gegangen, später auch ich.

Ich selbst habe den Herrn Klingsor leider nicht mehr als Lehrer gehabt. Aber den Herrn Oberlehrer König, den habe ich noch gekannt. Zu meiner Zeit ist er schon in Pension gewesen, ein freundlicher alter Herr mit funkelnden Augengläsern.

Den Herrn Schuldiener Büttner würde man heute als Hausmeister bezeichnen. Auch damals noch, als ich selbst schon zur Schule ging, hat er in der großen Pause seine heißen Würstel verkauft. Im Sommer auf dem Schulhof und winters oder bei schlechtem Wetter im Treppenhaus.

Wie der Herr Schuldiener Büttner ausgesehen hat, weiß ich nicht mehr genau. Nur an seinen buschigen weißen Schnauzbart kann ich mich noch erinnern. Und an die hohe blaue Kappe mit dem

11

spiegelblanken schwarzen Lackschild, die er immer getragen hat.

Zurück zu Herrn Lehrer Klingsor, zurück zu seiner Geschichte!

Sie hat sich also, wie schon gesagt, an der Rudolfschule in Reichenberg zugetragen. Dort hat sie am Ende der Sommerferien ihren Anfang genommen, genau einen halben Tag vor Beginn des neuen Schuljahres.

Der neue Stundenplan

Die Rudolfschule wurde damals vom Herrn Oberlehrer König geleitet. Am letzten Nachmittag vor dem ersten Schultag saß er in seiner Kanzlei am Schreibtisch und brütete über dem neuen Stundenplan. Über dem Stundenplan für die ganze Schule. Aber der neue Stundenplan wollte und wollte nicht stimmen. Bald blieben dem armen Herrn Oberlehrer zwei Turnstunden übrig, bald fehlten drei Deutschstunden, bald eine Rechenstunde. Es war zum Verzweifeln! Und plötzlich klopfte es an der Kanzleitür.

»Ja, bitte?« rief der Herr Oberlehrer König. »Bitte doch einzutreten!«

Eintrat ein jüngerer Herr. Nicht zu groß, nicht zu klein. Weder besonders dick noch besonders dünn. Aber mit lustigen braunen Augen.

»Grüß Gott, Herr Oberlehrer!« Der jüngere Herr mit den lustigen braunen Augen verbeugte sich leicht, wie es damals üblich war. »Erlauben Sie, bitte, daß ich mich Ihnen vorstelle. Ich bin der neue Aushilfslehrer für die dritte Klasse, ich heiße Klingsor.«

»Ach ja, ich entsinne mich.« Der Herr Oberlehrer verbeugte sich gleichfalls, wenngleich im Sitzen, und kramte in seinen Papieren. »Sagten Sie Klingsor? Ein ungewöhnlicher Name. Trotzdem kommt er mir nicht ganz unbekannt vor.«

»Gut möglich, Herr Oberlehrer. Mein älterer Bruder ist nämlich der berühmte Zauberer.«

»Was Sie nicht sagen! Und Sie, Herr Kollege? Können Sie etwa auch...?«

»Nur ein bißchen, Herr Oberlehrer. Sie müssen das bitte entschuldigen. Bei uns liegt das in der Familie, wissen Sie.«

»So, so«, brummte der Herr Oberlehrer König. »Ach, Herr Kollege! Ich wünschte mir manchmal auch, daß ich zaubern könnte. Dann gäbe es mit dem Stundenplan für das neue Schuljahr gewiß keine Schwierigkeiten!«

»Schwierigkeiten?« Herr Klingsor neigte sich über den Stundenplan. »Darf ich bitte mal sehen, Herr Oberlehrer?«

Eben noch hatte der Stundenplan für das neue Schuljahr nicht und nicht stimmen wollen. Bald waren dem armen Herrn König zwei Turnstunden übriggeblieben, bald fehlten drei Deutschstunden, bald eine Rechenstunde.

»Aber das ist doch ganz einfach, Herr Oberlehrer! Wenn Sie bitte erlauben . . .«

Herr Klingsor murmelte eine Zauberformel, dann schnippte er zweimal leicht mit den Fingern – und plötzlich, der Herr Oberlehrer König traute seinen Augen nicht: Plötzlich begannen auf seinem Plan die Deutsch- und die Rechenstunden, die Heimatkunde-, die Schönschreib- und alle anderen Schulstunden durcheinanderzuwirbeln, daß es nur so flimmerte.

Nach zwei Sekunden, es können auch drei, aber höchstens vier gewesen sein, war der Stundenplan fix und fertig. Der Stundenplan für das neue Schuljahr, und zwar für die ganze Rudolfschule.

Nicht eine der vielen Stunden war übriggeblieben, nicht eine einzige fehlte.

Da konnte der Herr Oberlehrer König nur staunend den Kopf schütteln und große Augen machen.

»Donnerwetter, Herr Kollege! Das ist ja, als ob Sie zaubern könnten!«

16

»Das habe ich Ihnen ja schon gesagt, Herr Oberlehrer«, antwortete der Herr Klingsor bescheiden.
»Ich kann es tatsächlich. Ein bißchen nur – aber
immerhin.«

Die erste Schulstunde

Die großen Ferien waren zu Ende. Vorher waren Herrn Klingsors Schulkinder noch in die zweite Klasse gegangen, seit heute gingen sie in die dritte. Sechsunddreißig Kinder im ganzen. Siebzehn Mädchen und ... Nein, wieviel Buben es waren, verrate ich nicht. Das bleibt mein Geheimnis.

Also, die großen Ferien waren zu Ende, das neue Schuljahr begann. Es begann mit der ersten Schulstunde. Und die erste Schulstunde begann damit, daß der Herr Schuldiener Büttner im Treppenhaus die Glocke läutete. Es war eine Handglocke mit einem langen hölzernen Stiel. Er schwenkte sie pünktlich um acht, daß es nur so schepperte.

Die Kinder der dritten Klasse standen an ihren Plätzen in den Schulbänken. Nach dem Läuten öffnete sich die Klassentür, und der neue Lehrer betrat

18

das Schulzimmer. Nicht zu groß war er, nicht zu klein. Weder besonders dick, noch besonders dünn. Aber mit lustigen braunen Augen.

»Grüß Gott, Kinder!«

»Grüß Gott, Herr Lehrer Klingsor!«

Woher kannten die Kinder Herrn Klingsors Namen? No, Kunststück! Ihr werdet es euch schon denken können.

Herrn Klingsors Schulkinder ahnten natürlich nicht, daß der Herr Lehrer Klingsor ein bißchen zaubern konnte. Und der Herr Lehrer Klingsor dachte auch nicht im Traum daran, es ihnen zu sagen. Sie machten ja nicht gerade den Eindruck, als wären sie auf den Kopf gefallen. Im Gegenteil.

»Ich bin also euer neuer Lehrer«, sagte Herr Klingsor. »Ob wir das neue Schuljahr mit einem Lied beginnen? Was meint ihr dazu?«

»O ja, Herr Klingsor!« riefen die Kinder. »Mit einem Lied!«

»Ich weiß aber nicht, was für Lieder ihr könnt. Was möchtet ihr denn am liebsten singen?«

»Frisch auf, ihr Wandersleut!« rief der Peter Wagner aus der vierten Bankreihe. Und fünf, sechs andere Buben stimmten ihm lautstark zu: »O ja, Herr Lehrer! Frisch auf, ihr Wandersleut!«

Einige Mädchen, darunter die Hilde Bienert aus der zweiten Bankreihe, waren da anderer Meinung. »Nein, nein, bitte! Lieber das Lied vom Schneegebirge!«

Andere Mädchen hätten am liebsten das Lied vom Heideröslein gesungen. Und ein paar Buben verlangten das Jägerlied »Auf, auf zum fröhlichen Jagen!«

So hatten alle ihre besonderen Wünsche. Nur das blasse Mariechen Kleinwächter saß still wie immer an seinem Platz und rührte sich nicht. Natürlich wünschte sich auch das Mariechen ein Lied. Es begann mit den Worten: »In einem kühlen Grunde, da geht ein Mühlenrad.« Dieses Lied war so wunderschön traurig, daß es dem Mariechen immer ganz warm dabei um die Augen wurde. Aber die anderen Kinder hätten bestimmt kein trauriges Lied gemocht. Besser gar nicht erst davon anfangen.

»Schon gut, schon gut!« Der Herr Lehrer Klingsor hielt sich mit beiden Händen die Ohren zu. »Wie soll denn ein einziger Mensch verstehen, was ihr da durcheinanderruft! Wißt ihr was, Kinder? Da fällt mir etwas ein...«

Damals konnte im Königreich Böhmen jeder Lehrer noch Geige spielen, auch der Herr Klingsor natürlich. »Gebt acht, welches Lied ich spiele – und singt es dann alle mit!«

Er stimmte die Saiten, dann nahm er die Geige ans Kinn und setzte den Bogen an. Gespannt warteten alle sechsunddreißig Kinder darauf, welches Lied der Herr Klingsor anstimmen würde.

Und welches Lied stimmte er an, der Herr Lehrer Klingsor?

»Frisch auf, ihr Wandersleut!« Der Wagner Peter und seine Freunde sangen begeistert mit. Und alle anderen Kinder mußten auch mitsingen – ob sie sich nun das Lied gewünscht hatten oder nicht.

Aber was hörten und sangen die Kinder wirklich?

Die Hilde Bienert und alle übrigen Mädchen, die sich das Lied vom Schneegebirge gewünscht hatten, hörten und sangen das Lied vom Schneegebirge. Die andern Mädchen sangen das Lied vom Heideröslein. Und die restlichen Buben schmetterten aus voller Kehle das Jägerlied: »Auf, auf zum fröhlichen Jagen!«

Der Herr Klingsor spielte vergnügt auf der Geige, und alle Kinder sangen dazu von Herzen mit. Alle waren stolz und zufrieden, weil der Herr Lehrer Klingsor gerade ihr Lieblingslied angestimmt hatte. Und dem blassen Mariechen Kleinwächter – dem

Mariechen ist es vor Rührung wieder einmal ganz warm um die Augen geworden: Ihr werdet euch sicherlich denken können warum.

Ja, der Herr Klingsor.

Zufällig kam gerade in diesen Minuten der Herr Oberlehrer König draußen auf dem Gang vorbei, gefolgt vom Herrn Schuldiener Büttner. Verwundert horchte der Herr Oberlehrer auf und blieb vor der Tür zu Herrn Klingsors Klassenzimmer stehen.

Daß die Kinder das Kaiserlied konnten, verstand sich damals in einer dritten Klasse von selbst. Aber daß sie es vierstimmig sangen, vierstimmig…

»Hören Sie sich das an!« flüsterte der Herr Oberlehrer König dem Herrn Schuldiener Büttner zu. »Das könnte auch der Reichenberger Lehrerinnen- und Lehrergesangsverein an Kaisers Geburtstag nicht schöner singen!«

»Bestimmt nicht, Herr Oberlehrer«, sagte der Herr Schuldiener Büttner. »Bestimmt nicht.«

Und trotzdem! Er konnte es sich beim besten Willen nicht vorstellen, daß der Reichenberger Lehrerinnen- und Lehrergesangsverein an Kaisers Geburtstag ausgerechnet das Lied singen würde, das der Herr Lehrer Klingsor mit seiner Klasse gerade sang. Es war nämlich, wie der Herr Schuldiener

Büttner schmunzelnd feststellte, eins von den lustigen Kirchweihliedern, die sie als Kinder immer besonders gerne gesungen hatten – und das ging so:

»Wenn Kirmst wird sein, wenn Kirmst wird sein,
Da schlachtet der Vater ein' Bock.
Da tanzt der Vater mit der Mutter,
Da wackelt der Mutter der Rock, juch-he!
Da tanzt der Vater mit der Mutter,
Da wackelt der Mutter der Rock.«

Aber die armen Buchstaben...

Damals gab es noch keine Schreibmaschinen wie heute. Es gab auch keine Füllfederhalter, keine Kugelschreiber und keine Filzstifte. Entweder schrieb man mit einem Bleistift, oder man schrieb mit der Schreibfeder, die in einem schlanken hölzernen Federhalter steckte.

Für die Schreibfedern brauchte man Tinte. Deshalb stand damals auf jedem Schreibtisch ein Tintenglas. Damit man jederzeit Tinte hatte, in die man die Feder eintauchen konnte. Denn ohne Tinte hätte man ja nicht schreiben können.

Selbstverständlich schrieben auch die Schulkinder in Herrn Klingsors Klasse mit Feder und Tinte. Für je zwei von ihnen gab es ein Tintenglas. Die Tintengläser waren in die Schulbänke eingelassen. An jedem Montagmorgen wurden sie vom Herrn Schuldiener

Büttner aus einer großen Tintenflasche mit Tinte aufgefüllt.

Es muß aber leider gesagt werden, daß die Schulkinder vom Herrn Lehrer Klingsor ganz und gar nicht besonders schön und besonders sorgfältig schrieben. Und dies, obgleich sie ja schon in die dritte Klasse gingen!

Immer wieder mußte sich der Herr Klingsor über die schlampigen Schriften der Kinder ärgern. Und als alles gute Zureden nichts helfen wollte, sagte er eines Vormittags in der Schönschreibstunde:

»Daß euch die armen Buchstaben nicht leid tun, die ihr da in die Hefte schmiert! Das sind überhaupt keine richtigen Buchstaben, das sind ja die reinsten Vogelscheuchen! Wie gräßlich, wenn ihr so aussehen würdet, wie ihr schreibt!«

Die Kinder verstanden Herrn Klingsor nicht, sie fanden das lustig. Da schnippte Herr Klingsor zweimal mit den Fingern und murmelte einen seiner Zaubersprüche.

Und was meint ihr? Im nächsten Augenblick sahen die Kinder der dritten Klasse genauso schlampig und häßlich aus wie die Buchstaben in ihren Heften – kurzum wie leibhaftige Vogelscheuchen!

Die Hilde Bienert stand plötzlich in einem alten

Rock da, der fast nur noch aus Rissen und Löchern bestand. Er hing vorne ganz tief herunter, und hinten war er so kurz, daß es einfach zum Lachen war.

Auf dem Kopf von Wagners Peter saß ein verbeulter Filzhut, der war ihm bis über beide Ohren heruntergerutscht. Unter der Krempe schaute kaum noch die Nasenspitze vom Peter hervor.

Die Jacke von Bergmanns Eva sah aus wie ein alter Kartoffelsack, der so groß war, daß gut und gern noch zwei weitere Kinder hineingepaßt hätten.

Der Willi Appelt hatte einen richtigen dicken Strohkopf bekommen, der oben zu einem struppigen Schopf zusammengebunden war.

Knoblochs Paulchen steckte in einem alten Nachthemd mit ausgefranstem Kragen; außerdem hatte es bloß einen einzigen Ärmel, und zwar den linken.

Und die Arme von Plischkes Gustav!

Gustavs Arme glichen zwei dürren Haselstecken, da hingen Büchsen aus rostigem Blech dran. Wenn sich der Gustav auch nur ein winziges bißchen bewegte, begannen die Büchsen sofort zu scheppern, daß es bis in den letzten Winkel der Rudolfschule zu hören war.

»Seht ihr«, sagte der Herr Lehrer Klingsor, als er merkte, wie erschrocken die Kinder von ihrem eigenen Anblick waren. »Euch selber ist es gar nicht recht, wenn ihr ausseht wie Vogelscheuchen. Aber die armen Buchstaben müssen sich das gefallen lassen.«

Dann schnippte er ein zweites Mal mit den Fingern, und im nächsten Augenblick sahen die sechsunddreißig Schulkinder der dritten Klasse wieder genauso lieb und ordentlich aus, wie man es von ihnen gewohnt war.

Aber von diesem Tag an haben sich alle sechsunddreißig bei den schriftlichen Arbeiten große Mühe gegeben. Und selbst Appelts Willi, der sonst im Schönschreiben immer eine Fünf ins Zeugnis bekommen hatte, bekam am Ende des Halbjahres eine Vier.

Zu dick und zwei linke Hände

Eigentlich waren alle Schulstunden beim Herrn Lehrer Klingsor schön und lustig, aber am allerlustigsten ging es beim Turnen zu. Leider gab es bloß drei Turnstunden in der Woche. Wäre es nach den Kindern gegangen, hätten es ruhig zwölf sein dürfen. Bloß dem Paulchen Knobloch waren schon drei zuviel.

Knoblochs Paulchen war einer von den kleineren Jungen in Herrn Klingsors Klasse. Er war ein bißchen dick und ein bißchen ungeschickt. Beim Wettlaufen kam er immer als Letzter ans Ziel. Beim Völkerball wurde er immer als Erster abgeschossen. Knoblochs Paulchen hing an den Ringen wie eine reife Zwetschge. An den Kletterstangen kam er kaum einen halben Meter hoch. Und beim Bockspringen machte er überhaupt nicht mit.

»Das Paulchen ist eben zu dick«, meinte der Herbert Löwit. »Zu dick und zu ungeschickt.« Und die Gerta Hoffmann sagte: »Das Paulchen hat einfach zwei linke Hände. Daran liegt das wohl.«

Der Herr Klingsor wußte es besser. In der neunten oder zehnten Turnstunde ließ er die Kinder Völkerball spielen, ging mit dem Paulchen ein wenig beiseite und meinte: »Du bist nicht besonders gut im Turnen.«

»Nein«, sagte Knoblochs Paulchen und wurde rot. »Weil ich zu dick bin. Und weil ich zwei linke Hände habe.«

»Ach Unsinn, Paulchen! Ich werde dir sagen, woran es liegt. Du bist weder zu dick noch zu ungeschickt – du bist einfach zu ängstlich und traust dir nichts zu.«

»Das wohl auch...« Knoblochs Paulchen stieß einen tiefen Seufzer aus. »Aber was läßt sich dagegen machen?«

»Vielleicht mehr, als du glaubst«, erwiderte der Herr Klingsor. »Ob wir es mal probieren?«

Er legte dem Paulchen die rechte Hand auf den Nacken und murmelte einen seiner geheimen Sprüche. Da war es dem Paulchen, als drehte jemand an einer Schraube, ziemlich genau in der Mitte zwischen dem zweiten und dritten Nackenwirbel. Paulchen spürte, wie sich die Schraube zu lockern begann – und plötzlich kam er sich wie ein kleiner König vor.

»Na, Paulchen?« meinte Herr Klingsor schmunzelnd. »Wie wäre es jetzt mit dem Schwebebalken...?«

War es zu fassen! Zum ersten Mal schaffte es Knoblochs Paulchen, über den Schwebebalken zu laufen, ohne herunterzufallen. Auch beim Bockspringen hatte er keine Angst mehr. Und an den Kletterstangen zog er sich so geschwind in die Höhe, daß es zum Staunen war.

»Na also!« Herr Klingsor rieb sich zufrieden die Hände. »Das hätten wir ja geschafft!«

Am Samstag war keine Turnstunde. (Man muß wissen, daß damals auch samstags Schule war – stellt euch das bitte vor!) Und am Sonntag ging der Herr Klingsor mit ein paar Freunden zum Wandern. Am Montag früh jedoch, zehn Minuten vor dem Läuten, klopfte es an der Tür zum Lehrerzimmer. Draußen stand eine schrecklich aufgeregte Frau. Es war Paulchens Mutter.

»Ach, Herr Lehrer! Herr Lehrer!« Die arme Frau Knobloch rang verzweifelt die Hände. »Was ist bloß

in unsern Jungen gefahren? Er hat den Verstand verloren, Herr Lehrer! Jawohl! Unser Paulchen hat den
Verstand verloren!«

Frau Knobloch begann zu erzählen. Das Paulchen
– ihr Paulchen, ein bißchen dick und ein bißchen ungeschickt: plötzlich war er wie ausgewechselt, der
reinste Kunstturner. An den Teppichstangen im Hof
vollführte er die gewagtesten Schwünge und Über-
schläge. Am Blitzableiter war er hinaufgeklettert wie
ein kleiner Affe.

»Und anschließend...« An dieser Stelle brach die
arme Frau Knobloch in lautes Schluchzen aus. »Anschließend ist er auf dem Dachfirst herumgetanzt!
Ungefähr so, als sei das kein Dachfirst, sondern ein
Schwebebalken! Das reinste Wunder, daß er sich
nicht den Hals gebrochen hat, unser armer Junge...«

»Keine Sorge, Frau Knobloch!« Herr Klingsor
hätte nicht der Herr Lehrer Klingsor sein dürfen,
wenn er nicht auf der Stelle gewußt hätte, was mit
dem Paulchen geschehen mußte. »Gehen Sie nur in
aller Ruhe nach Hause, Frau Knobloch. Ihr Paulchen
wird sich gewiß nicht den Hals brechen. Und auch
Arme und Beine nicht. Das verspreche ich Ihnen.«

In der nächsten Turnstunde sagte der Herr Klingsor zu den Kindern der dritten Klasse: »Wollt ihr mal

einen richtigen Kunstturner sehen? Dann seht euch mal unser Paulchen an!«

Und Knoblochs Paulchen führte den Kindern vor, was ein richtiger Kunstturner alles können muß: die Riesenwelle am Reck, den doppelten Salto über das Pferd, die zweifach-dreifach gezwirbelte Schere am Stufenbarren und hundert andere Kunststücke dieser Art, wie man sie sonst nur im Zirkus zu sehen bekommt.

Die Kinder staunten, das Paulchen strahlte. Und der Herr Lehrer Klingsor schmunzelte.

»Seht ihr nun, daß das Paulchen weder zwei linke Hände hat noch zu dick ist? – Komm doch mal her, Paulchen...«

Knoblochs Paulchen hatte tatsächlich überhaupt keine Angst mehr! Er kannte beim Turnen buchstäblich nicht die geringste Vorsicht – und das war es ja eigentlich nicht gerade, was der Herr Klingsor gewollt hatte. Was also tun?

Ganz einfach! Herr Klingsor legte dem Paulchen wieder die rechte Hand auf den Nacken und murmelte einen seiner geheimen Sprüche dabei, diesmal sprach er ihn aber von hinten nach vorn, etwa zehn, zwölf Wörter nur.

Da war es dem Paulchen, als würde die Schraube

in seinem Nacken wieder ein wenig festgedreht. Nicht sehr stark, bloß ein bißchen eben. Um zehn, zwölf Drehungen etwa.

»No, Paulchen?«

»Schon gut, Herr Lehrer...«

Von jetzt an, was soll ich sagen, war Knoblochs Paulchen zwar nicht mehr gerade ein richtiger Kunstturner – einer, bei dem man befürchten mußte, er werde sich eines Tages den Hals brechen –, aber...

Aber, auch das muß gesagt sein: Von jetzt an war Knoblochs Paulchen im Turnen und auch beim Völkerball mindestens ebenso gut wie, beispielsweise, die Gerta Hoffmann oder der Herbert Löwit.

Und das ist eigentlich sehr viel mehr, als man jemals für möglich gehalten hätte. Findet ihr das nicht auch?

Der Tintenteufel

Einmal gab es in Herrn Klingsors Klasse großen Ärger, weil in der Aufsatzstunde alle Kinder ihre Hefte ganz entsetzlich verkleksten. Sogar die Musterschülerin Lottchen Holdgrün machte an diesem Vormittag einen dicken Tintenklecks in ihr Aufsatzheft.

Darüber erschrak sie so sehr, daß sie bitterlich zu weinen anfing. Denn dies war der erste Tintenklecks, den es jemals in einem von Lottchens Schulheften gegeben hatte. Und was für ein Klecks das war!

Nun, der Herr Lehrer Klingsor hätte nicht der Herr Lehrer Klingsor sein dürfen, wenn er nicht versucht hätte, das arme Mädchen zu trösten.

»Na, na«, meinte er. »Wer wird denn gleich heulen, Lottchen! Es könnte ja sein, daß du gar nichts dafür kannst.«

»O doch, Herr Lehrer«, schluchzte das Lottchen. »Ich habe doch selbst gesehen, daß ich es gewesen bin, die den Klecks gemacht hat. Hu-hu-hu-huuu!«

»Das kann man nie wissen«, erwiderte der Herr Klingsor. »Es könnte ja sein, daß wir zufällig einen Tintenteufel in der Klasse haben...«

»Einen Tintenteufel?« fragte der Hugo Hampel ungläubig. »Was Sie nicht sagen, Herr Lehrer!«

»Doch, doch«, erwiderte der Herr Klingsor. »Je länger ich mir die Sache überlege, desto klarer wird mir das alles... Tatsächlich, Kinder – wir haben einen Tintenteufel in der Klasse, das muß der Grund sein!«

»Und?« wollte Paulchen Knobloch wissen. »Läßt sich denn gegen Tintenteufel nichts machen, Herr Lehrer?«

»Versuchen wir's!« antwortete der Herr Klingsor und klatschte dreimal leicht in die Hände. Aber er klatschte natürlich so, wie nur Zauberer klatschen können.

Was meint ihr wohl, was geschah?

Plötzlich stieg aus Lottchen Holdgrüns Tintenfaß ein winziges blaues Männlein heraus und watschelte auf seinen nackten blauen Füßen quer durch das

Schulzimmer nach vorn, zu Herrn Klingsor ans Lehrerpult.

Und wer war das Männlein?

Alle sechsunddreißig Schulkinder sahen auf den ersten Blick, daß das blaue Männlein nichts anderes sein konnte als ein Tintenteufel. Es hatte einen langen tintenblauen Schwanz mit einer dicken tintenblauen Quaste dran, eine lange tintenblaue Zunge und zwei kleine tintenblaue Hörner am Kopf. Auch sonst war es über und über tintenblau.

»Nun?« sprach Herr Klingsor mit strenger Miene. »Was hast du da angerichtet, du dummer Tintenteufel? Gehört sich das etwa? Sofort bringst du alle verklecksten Aufsatzhefte wieder in Ordnung!«

Aber der Tintenteufel hatte keine Lust dazu. Warum die Hefte wieder in Ordnung bringen, die er doch gerade erst so wunderschön verkleckst hatte?

»Kommt gar nicht in Frage!« rief er und drehte Herrn Klingsor eine lange Nase. »Das können Sie selber machen, Herr Lehrer – ich mach das nicht!«

»Wirklich nicht?« meinte Herr Klingsor.

Er richtete seinen strengsten Blick auf den Tintenteufel. Und wer weiß, ob es wirklich bloß an dem strengen Blick lag. Vielleicht hat Herr Klingsor auch sonst noch ein wenig nachgeholfen.

Es dauerte jedenfalls keine zwei Sekunden, da begann das tintenblaue Männlein an allen Gliedern zu bibbern und zu schlottern, als ob es ihm schrecklich kalt wäre. Dann fing es auch noch an, laut zu wimmern und mit den Zähnen zu klappern. Es verdrehte ganz fürchterlich die Augen und wand sich, als hätte es schreckliche Bauchschmerzen.

»Na?« fragte Herr Klingsor nach einer Weile. »Willst du nun endlich tun, was ich dir gesagt habe?«

Da nickte der Tintenteufel zerknirscht mit dem Kopf – und dann leckte er doch tatsächlich mit seiner langen tintenblauen Zunge alle Tintenkleckse in allen Aufsatzheften ratzeputz wieder auf, bis nichts mehr davon zu sehen war.

»Na also!« meinte Herr Klingsor. »Warum denn nicht gleich? Und nun mach, bitte, daß du von hier verschwindest!«

»Ganz wie Sie wünschen, bitteschön!« sagte das blaue Männlein höflich. Es flitzte zur Tür und schlüpfte durchs Schlüsselloch auf den Gang hinaus.

Weg war es, und weg blieb es. Jedenfalls hat sich der dumme Tintenteufel seither in Herrn Klingsors Schulklasse nie mehr sehen lassen.

Mach dir nichts draus, Franzl!

Eines Morgens brachte Herr Klingsor einen fremden Jungen zum Unterricht mit. Der fremde Junge war blaß und ein bißchen ängstlich. Er hatte pechschwarzes Haar und große pechschwarze Augen. Statt eines Hemdes trug er eine buntbestickte weiße Bluse. Und seine Hosenbeine steckten in richtigen Stiefeln aus weichem Leder.

»Dies ist der Franzl Molnar.« Mit diesen Worten stellte ihn der Herr Klingsor den Kindern vor. »Er hat bis vor ein paar Tagen in Ungarn gelebt, nun ist er mit seinen Eltern zu uns nach Reichenberg übersiedelt. Von heute an geht er in unsere Klasse. Bitte, seid alle besonders nett zu ihm. Der Franzl kann nämlich leider kaum eine Silbe deutsch, er versteht bloß ungarisch.«

Macht nichts! werdet ihr denken, schließlich

konnte Herr Klingsor doch zaubern. Er brauchte ja bloß mit den Fingern zu schnalzen – und hokuspokus! hätte der Franzl deutsch gekonnt.

Herr Klingsor hätte das freilich tun können, aber Herr Klingsor tat es nicht. Ganz so einfach wollte er's weder dem Franzl Molnar machen noch den Schulkindern in der dritten Klasse.

Übrigens war es im Anfang vielleicht ganz gut, daß der Franzl kein Deutsch verstand. Als der Herr Klingsor nämlich die Kinder fragte, wohin er den Franzl setzen sollte, da wollte ihn keines neben sich sitzen haben.

»Und warum nicht?« wollte Herr Klingsor wissen.

»Weil er halt fremd ist«, sagte der Hugo Hampel, der sonst eher als freundlicher Junge galt. »Und weil man ja mit dem Franzl nicht reden kann, er versteht's ja nicht.«

Da setzte Herr Klingsor den Franzl Molnar allein in die letzte Bank. Und er sagte zu ihm auf ungarisch, was ihm nicht schwerfiel, da er ja zaubern konnte:

»Mach dir nichts draus, Franzl. Irgendwas wird mir schon einfallen, weißt du...«

Der Schultag ist dann zu Ende gegangen wie jeder andere Schultag, auch für den Hugo Hampel. Des

43

Nachts aber, wie der Hugo daheim im Bett lag, da hatte er einen Traum. Und ich denke, es dürfte nicht schwer zu erraten sein, wer ihm den Traum geschickt hat.

Nämlich im Traum hat der Hugo Hampel plötzlich in einer fremden Klasse gestanden, vor lauter Schulkindern, die er noch nie gesehen hatte. Alle waren ganz anders gekleidet, als er es von daheim gewohnt war. Die Jungen trugen buntbestickte weiße Blusen und Stiefel aus weichem Leder. Stiefel aus weichem Leder trugen auch die Mädchen. Und keines der Kinder sprach eine Silbe deutsch, denn er war in Ungarn – und dort spricht man ungarisch.

Da kam sich der Hugo Hampel schrecklich verlassen vor in der neuen Schulklasse, die er von nun an besuchen sollte, weil er gestern mit seinen Eltern hierher übersiedelt war. Und als er sich ganz allein in die letzte Bank setzen mußte, der Hugo, weil keines der fremden Kinder ihn neben sich haben wollte, da hätte nicht viel gefehlt, und er hätte losgeheult wie ein Schloßhund.

Was für ein Glück für den Hugo Hampel, daß wenigstens der Herr Lehrer deutsch konnte!

»Mach dir nichts draus, Hugo!« Hörte sich seine

Stimme nicht wie Herrn Klingsors Stimme an? »Irgendwas wird uns schon einfallen, weißt du...«

»O ja bitte!« hat der Hugo im Traum dem Herrn Klingsor geantwortet. »Irgendwas wird uns schon einfallen mit dem Franzl Molnar...«

Er hat dann ganz ruhig weitergeschlafen, der Hugo Hampel. Daß heut nacht auch die andern Kinder der dritten Klasse das gleiche wie er geträumt hatten, und zwar alle – das hat er natürlich nicht wissen können. Sie haben auch niemals darüber gesprochen, selbst mit Herrn Klingsor nicht.

Aber vom nächsten Morgen an sind sie alle besonders nett und besonders freundlich zum Franzl gewesen. Und Hampels Hugo hat den Herrn Klingsor sogar gebeten:

»Darf ich mich, bittschön, nach hinten setzen zum Franzl Molnar, Herr Lehrer?«

Da hat der Herr Klingsor natürlich nicht nein gesagt. Und man sollte es kaum für möglich halten, wie rasch es der Franzl mit Hugos Hilfe geschafft hat, ein bißchen deutsch zu lernen.

Und noch ein bißchen und noch ein bißchen – und alle Tage ein bißchen mehr.

Die Dreithaler-Zwillinge

Zu den Kindern in Herrn Klingsors Klasse gehörten zwei Mädchen, das waren die Dreithaler-Zwillinge. Eine hieß Franziska, eine Klärchen. Und wie das bei echten Zwillingsschwestern so üblich ist, sahen sie sich zum Verwechseln ähnlich. Besonders dann, wenn beide die gleichen Kleider trugen. Und das war meistens der Fall.

Nicht genug damit, daß sie auf den Tag genau gleich alt waren. Sie waren auch auf den Zentimeter genau gleich groß. Beide hatten blonde Zöpfe und braune Augen. Beide verzogen beim Lachen die Lippen ein bißchen nach links. Und wenn sie »S« sagten, stießen beide ganz leicht mit der Zunge an.

Ja, es war wirklich schwierig, die Dreithaler-Zwillinge auseinanderzuhalten. Das schaffte manchmal sogar ihre eigene Mutter nicht, vom Vater Dreithaler nicht erst zu reden. Und auch vom Herrn Klingsor nicht.

Die Dreithaler-Zwillinge haben natürlich gewußt, daß niemand sie auseinanderhalten konnte. Und das haben sie kräftig ausgenützt. Daheim, in der Schule und überhaupt.

Wenn der Herr Lehrer Klingsor, zum Beispiel, in der Sprachlehrestunde vom Klärchen wissen wollte, wie das Zeitwort »schreiben« in der ersten Person Einzahl der ersten Vergangenheit lautet, dann wußte er nie, ob es wirklich das Klärchen war, das ihm zur Antwort gab:

»Die erste Person Einzahl der ersten Vergangenheit lautet: ›Ich schreibste‹.«

Nun war der Herr Klingsor ja keineswegs auf den Kopf gefallen. Deshalb setzte er die Dreithaler-Zwillinge ein ganzes Stück auseinander. Das Klärchen links in die zweite Bank, die Franziska rechts in die vierte.

Wenn er dann aber, beispielsweise, Dreithalers Franziska zur Ordnung rief, weil sie mit Bienerts Hilde geschwätzt hatte, konnte es durchaus sein, daß sich rechts in der vierten Bank Dreithalers Klärchen erhob und mit vorwurfsvoller Miene erklärte:

»Wie kann ich denn mit der Hilde schwätzen,

Herr Lehrer, wenn ich doch neben der Annelies Petrak sitze?«

So war das also mit der Franziska und mit dem Klärchen. Und der Herr Lehrer Klingsor, der ein verständiger Mensch war, sagte sich: »Wenn ich selber ein Zwilling wäre und meinem Bruder gleichsähe wie ein Ei dem andern – wir hätten wohl auch unsern Spaß dran...«

Doch jede Geduld hat Grenzen, selbst Herrn Klingsors Geduld.

Eines Nachmittags im Oktober (damals gab es noch jeden Nachmittag Unterricht, außer mittwochs und samstags) – eines Nachmittags im Oktober also, und zwar in der Zeichenstunde, verirrte sich eine späte Fliege ins Zimmer der dritten Klasse. Eine von diesen dicken Herbstfliegen. Sie war nicht zu sehen, aber man hörte sie. Mit lautem Summsen zog sie ihre Kreise: »Dssssssssumm – dsssumm – dsssumm – dsssummdsssummdsssummdsssumm-dsssummdssumm!«

Die Kinder zogen die Köpfe ein und begannen zu kichern. Gab es wohl eine Fliege auf Gottes Erde, die, wenn sie summste, beim S mit der Zunge anstieß? Ganz leicht nur – aber doch so, daß niemand es überhören konnte?

Auch der Herr Lehrer Klingsor hörte das angestoßene Zungen-S, er war ja nicht taub. »Franziska!« rief er. »Du machst mich nervös damit. Laß das, bitte!«

»Was haben Sie denn, Herr Lehrer?« Franziska zog schmollend die Lippen ein bißchen nach links. »Das bin ich doch gar nicht!«

»Dann bitte ich tausendmal um Entschuldigung«, sagte Herr Klingsor.

Und wieder summste die späte Fliege im Klassenzimmer herum. Und auch jetzt wieder, ganz und gar unüberhörbar, stieß sie beim S mit der Zunge an.

»Klärchen!«

»Bittschön, Herr Lehrer?«

»Ich bitte dich, sei ein liebes Mädchen, Klärchen – und laß das gefälligst bleiben!«

»Ich?« fragte Dreithalers Klärchen. »Was soll ich denn, bitte, bleiben lassen, Herr Lehrer?«

Na gut, dann half offenbar nur noch Herrn Klingsors bewährtes Fingerschnalzen. Und siehe da! – schon summste die nächste Fliege im Klassenzimmer herum: eine Fliege, die nicht mit der Zunge anstieß beim Summsen.

Und wieder zogen die Kinder kichernd die Köpfe ein. Diesmal auch beide Dreithaler-Zwillinge: auch das Klärchen, auch die Franziska. Die späte Herbstfliege summste über die Köpfe der Kinder hinweg. Sie zog ihre Kreise enger und immer enger. Und schließlich ließ sie sich auf Franziskas Wange nieder. Auf ihrer linken Wange, um ganz genau zu sein.

Und die Franziska Dreithaler?

Die Franziska hat kaum was davon gespürt. Sie hat mit der Hand gewedelt und wollte die Fliege wegscheuchen. Doch die Fliege (Herrn Klingsors Fliege, wir ahnen es) hat sich gerade noch rasch auf Franziskas linker Wange verewigen können. Auf Fliegenart. Leicht, ganz leicht nur, in Form eines winzigen braunen Tüpfelchens – aber für alle Zeiten.

Von jetzt an brauchte Herr Klingsor bloß näher hinzuschauen, dann konnte er an dem Tüpfelchen gleich erkennen, wer von den Dreithaler-Zwillingen die Franziska und wer das Klärchen war.

Und näher hinschauen mußte man schon, wenn man tatsächlich einen Unterschied zwischen den beiden ausmachen wollte. Selbst jetzt noch.

Rechtschreiben ist keine Kunst

Mit dem Rechtschreiben ist es so eine Sache. Manche Kinder erlernen es spielend und manche überhaupt nicht. Die meisten Kinder haben anfangs ein bißchen Mühe damit, aber es lohnt sich, die Mühe aufzubringen. Denn, wie der Herr Oberlehrer König zu sagen pflegte: »Das Rechtschreiben zu erlernen, ist keine Kunst, sondern hauptsächlich eine Frage des Fleißes, der Übung und des guten Willens.«

Am Fleiß und am guten Willen haben es die Kinder der dritten Klasse nicht fehlen lassen. Und daß sie ausreichend Gelegenheit bekamen, sich im Rechtschreiben auch zu üben – dafür hat schon der Herr Klingsor gesorgt.

»Wißt ihr«, hat er zu ihnen gesagt. »Richtig schreiben zu lernen, das solltet ihr eigentlich schon aus Höflichkeit tun. Weil es den andern Leuten dann sehr viel leichter fällt, das zu lesen und zu verstehen, was ihr geschrieben habt.«

»Und außerdem, bitte!« sagte das Lottchen Holdgrün. »Außerdem macht man sich bei den Leuten lächerlich, wenn man die deutsche Rechtschreibung nicht beherrscht. Das hat mir mein Papi gesagt, und mein Papi weiß das.«

»Mag sein.« Herr Klingsor wollte sich zu der Meinung von Lottchens Papi nicht weiter äußern. »Das Rechtschreiben ist eine Art von Gesellschaftsspiel«, fuhr er fort. »Eine Art von Gesellschaftsspiel, das nach festen Regeln gespielt wird, ganz ähnlich wie andere Spiele auch. Und ganz ähnlich wie manche anderen Spiele, ich denke an Schach oder Mühle, bietet uns auch das Rechtschreiben gute Gelegenheit, den Verstand zu üben. Und das, muß ich sagen, finde ich gar nicht schlecht.«

Rechtschreiben als Gesellschaftsspiel – und zwar auch in der Schule!

Ihr werdet euch vorstellen können, daß es den Kindern der dritten Klasse Spaß machte, dieses Spiel mit Herrn Klingsor zu spielen.

Und weil das Spiel ihnen Spaß machte, lernten sie bald, seine Regeln einzuhalten. Das ging wie geschmiert, selbst beim Franzl Molnar, dem auch sonst das Erlernen der deutschen Sprache nicht weiter schwerfiel. Nicht zuletzt dank Herrn Klingsors Hilfe, wie man vermuten darf.

So wäre denn, was das Rechtschreiben anging, alles in bester Ordnung gewesen, hätte nicht Plischkes Gustav mit in Herrn Klingsors Klasse gesessen. Und ihm, dem Gustav, wir müssen es leider sagen, machte das Rechtschreiben solche entsetzlichen Schwierigkeiten, daß selbst Herr Klingsor sich keinen Rat mehr wußte.

Bestand ein Satz aus fünf einfachen Wörtern, dann brachte es Plischkes Gustav mit Leichtigkeit fertig, mindestens sieben Fehler hineinzuschreiben! Dabei war er nicht etwa ein dummer Junge, nein, ganz und gar nicht. Er war auch nicht etwa faul oder unwillig, ganz im Gegenteil. Nur im Rechtschreiben, und nur dort: da war Plischkes Gustav das, was man einen hoffnungslosen Fall nennt.

Weiß der Kuckuck, woran das lag! Herr Klingsor hatte schon alles versucht, was er nur versuchen konnte, um dem Gustav zu helfen. Aber da nützte kein Fingerschnalzen, da halfen auch keine noch so geheimen Sprüche weiter, da schien überhaupt nichts zu helfen.

Herr Klingsor verbrachte ein ganzes Wochenende damit, den Fall von Grund auf zu überdenken.

Er überdachte ihn wieder und immer wieder – und endlich, am Sonntagabend, da kam ihm eine Idee. Wozu gab es schließlich ein Telephon, und zwar damals schon!

(Nun werdet ihr sicherlich meinen, da sei mir ein Schreibfehler unterlaufen, oder das müsse ein Druckfehler sein. Aber nein! Bei dem Wort »Telephon« und in allen Wörtern, die damit zusammenhängen, bediene ich mich hier absichtlich der seinerzeit üblich gewesenen Schreibweise, auch wenn sie uns heute ein wenig umständlich vorkommen mag. Dazu muß man freilich wissen, daß auch das Telephonieren in jenen Zeiten höchst umständlich war, im Vergleich zu heute.)

Nun gut. Der Herr Klingsor führte also ein Telephongespräch. Er telephonierte mit seinem älteren Bruder, dem großen Zauberer, und bat ihn um Rat wegen Plischkes Gustav.

Er sollte den Rat nicht vergebens erbeten haben! Zwei Tage danach klingelte der Postbote bei Herrn Klingsor und übergab ihm ein Päckchen. Das Päckchen hatte Herrn Klingsors älterer Bruder geschickt. Es enthielt eine Dose aus schwarzem Blech, nicht größer als eine Zündholzschachtel.

Am nächsten Tag nahm Herr Klingsor die schwarze Dose, die ihm sein älterer Bruder geschickt hatte, in die Schule mit. Und kaum hatte der Unterricht begonnen, da zog er sie aus der Tasche hervor, und Plischkes Gustav mußte zu ihm ans Pult kommen.

»Na, Gustav – was meinst du wohl, was da drin ist, in dieser Dose aus schwarzem Blech? Ob du es wohl erraten kannst?«

Plischkes Gustav konnte es nicht erraten, wie sollte er auch.

»Dann gib acht, mein Lieber! In dieser Dose, die mir mein großer Bruder eigens für dich geschickt hat, da sitzt ein Rechtschreibfloh. Den werd ich dir hinters Ohr setzen – und dann wird er dir helfen, beim Rechtschreiben keine Fehler zu machen.«

»Nanu!« staunte Plischkes Gustav. »Gibt's denn das?«

»Ja, das gibt es.«

Mit spitzen Fingern nahm der Herr Klingsor den Rechtschreibfloh aus der Schachtel und setzte ihn Plischkes Gustav hinter das linke Ohr.

Wenn der Gustav von jetzt an beim Rechtschreiben einen Fehler machte, dann piekte ihn der Rechtschreibfloh sofort in den Hals – und dies war das

Zeichen dafür, daß Gustav den Fehler ausbessern sollte.

Na gut, na schön. Manchen Kindern wäre es nur zu wünschen, solch einen Rechtschreibfloh hinterm Ohr zu haben: dann gäbe es kaum noch Flüchtigkeitsfehler in ihren Heften. Anders bei Plischkes Gustav.

Gewiß, der Herr Klingsor hatte ja nur das Beste für ihn gewollt. Doch nun stellt euch mal bitte vor, ihr würdet bei jedem Satz aus fünf einfachen Wörtern mindestens siebenmal in den Hals gepiekt. Oder noch öfter sogar!

Es kam, wie es leider kommen mußte.

Schon nach wenigen Tagen war Gustavs Nacken derart zerstochen und angeschwollen, daß er kaum noch in den Kragen paßte. Da meinte der arme Junge voller Verzweiflung:

»Ach bitte, Herr Lehrer, könnten Sie mir den Rechtschreibfloh wieder wegnehmen? Ich halte die ewige Piekerei nicht mehr aus!«

Und Herr Klingsor, der ein vernünftiger Mann war, befreite den armen Gustav von seinem Rechtschreibfloh. Denn solch eine wichtige Sache ist die deutsche Rechtschreibung nun auch wieder nicht.

Das sommersprossigste Kind
der Welt

In allen Schulzeugnissen und im Klassenbuch stand sie selbstverständlich mit vollem Namen: Stephanie Clementine Alphonsa Freiin von Austerlitz. Aber sonst hieß sie überall nur die rote Steffi, auch beim Herrn Klingsor.

Sie hatte dichtes, wundervoll fuchsfeuerrotes Haar, darauf war sie richtig stolz. Überdies hatte sie entsetzlich viele Sommersprossen im Gesicht, die auch im Winter nicht weggingen. Im Vergleich dazu war der kleine Leberfleck, wie ihn neuerdings die Franziska Dreithaler auf der linken Wange trug, überhaupt nicht der Rede wert.

Na gut, also Sommer- und Wintersprossen. Tausend winzige rostbraune Tüpfelchen, über das ganze Gesicht verstreut. Aber die Steffi war ja von klein auf daran gewöhnt. Außerdem fand sie es lustig, weil alle Leute das lustig fanden.

Die Bäckersfrau und der Herr Schaffner in der elektrischen Straßenbahn, das Fräulein Zimmermann im Handarbeitsgeschäft, die Verkäuferinnen in der Markthalle, ja sogar der Herr Schuldiener Büttner an seinem Würsteltopf – wo die Steffi auch auftauchte, alle machten sofort ein freundliches Gesicht und riefen ihr ein paar nette Worte zu, etwa: »Da kommt ja die rote Steffi, das sommersprossigste Kind der Welt!«

Nein, es war wirklich kein Wunder, daß ihr die vielen Sommersprossen nichts ausmachten. Bis zu einem bestimmten Donnerstag im November. Die Schule war aus, und die Steffi ging mit ihren zwei besten Freundinnen durch die Ruppersdorfer Straße nach Hause. Da erzählte die Eva Bergmann, sie habe daheim bei der Köchin Berta ein furchtbar trauriges Buch auf dem Nachttisch gefunden, einen Roman. Die Geschichte eines armen Mädchens, das keinen Mann bekommen hat. Und warum nicht?

»Na?« hat die Steffi wissen wollen. »Hat sie vielleicht X-Beine gehabt?«

»Nein.«

»Oder Pferdezähne?«

»Nein, auch nicht.«

»Ja, was denn dann?«

»Sommersprossen«, sagte die Eva Bergmann.

»Ach Quatsch!« widersprach ihr die Steffi. »Sommersprossen sind doch kein Grund, daß man keinen Mann kriegt!«

»Und ob!« rief die Hansi Hübner. »Zu viele Sommersprossen sind selbstverständlich ein Grund dafür!«

»Sind sie nicht!«

»Sind sie doch! Das steht ja sogar in Bertas Buch!«

An diesem Donnerstag im November hockte die Steffi Austerlitz lange Zeit vor dem Spiegel im Badezimmer. Auch sie hätte später eigentlich gern einen Mann bekommen. Und nun sollte sie also keinen kriegen, einzig wegen der blöden Sommersprossen!

Am Freitagmorgen fand der Herr Lehrer Klingsor im Klassenbuch einen kleinen rosafarbenen Brief.

»Bitte, Herr Lehrer!« stand da in Steffis schönster Sonntagsschrift. »Ich mag keine Sommersprossen. Weil ich sonst keinen Mann kriege. Bitte! Bitte, Herr Lehrer!! Bitte, helfen Sie mir!!!«

Unterschrieben war der Brief mit Steffis vollem Namen: »Stephanie Clementine Alphonsa Freiin von Austerlitz!!!!« Daraus, und nicht zuletzt aus den

vielen Ausrufezeichen, ersah der Herr Lehrer Klingsor, wie ernst es der Steffi mit ihrer Bitte war.

Was konnte er für sie tun? Er kramte aus der linken Rocktasche ein kleines, in Seidenpapier eingewickeltes Päckchen hervor. »Heut abend, bevor du zu Bett gehst, wäschst du dir das Gesicht damit. Alles weitere wird sich finden.«

»Danke, Herr Lehrer!« Die Steffi schnupperte an dem Päckchen, es duftete unverkennbar nach Fliederseife.

Am Abend wusch sie sich das Gesicht damit. So gründlich wie nie zuvor. Und richtig! – am nächsten Morgen waren die Sommersprossen verschwunden, als hätte sie niemals welche gehabt.

Zwei Tage lang war die Steffi selig. Am dritten Tag merkte sie, daß sich in ihrem Leben etwas verändert hatte. Plötzlich verhielten sich alle Leute ganz anders zu ihr als sonst. Niemand fand sie jetzt noch besonders lustig. Weder die Bäckersfrau noch der Herr Schaffner in der elektrischen Straßenbahn, weder das Fräulein Zimmermann im Handarbeitsgeschäft noch die Verkäuferinnen in der Markthalle. Und selbst der Herr Schuldiener Büttner an seinem Würsteltopf machte da keine Ausnahme. Niemand dachte von jetzt an daran, bei Steffis Anblick ein freundliches Gesicht zu machen und ihr ein paar nette Worte zuzurufen. Weshalb denn auch? Dazu gab es ja keine Veranlassung mehr.

Am Mittwochmorgen lag wieder ein rosafarbener Brief an Herrn Klingsor im Klassenbuch:

»Bitte, Herr Lehrer! Es muß ein Fehler gewesen sein. Ganz ohne Sommersprossen bin ich sehr unglücklich. Ihre Steffi.«

Herrn Klingsor kam das nicht unerwartet. Diesmal kramte er aus der rechten Rocktasche einen

Farbstift hervor. Einen Farbstift mit rostbrauner Mine.

»Danke, Herr Lehrer!«

Am Abend hockte die Steffi Austerlitz vor dem Spiegel im Badezimmer und tupfte sich mit Herrn Klingsors Stift neue Sommersprossen ins Gesicht... Und sie hätte vermutlich so bald nicht aufgehört, doch plötzlich versagte der sommersprossenfarbene Stift den Dienst.

Zuerst war die Steffi ein bißchen ärgerlich, aber dann hat sie sich schon gedacht, daß Herr Klingsor gewußt haben wird, wie viele Sommersprossen sie brauchte.

Von jetzt an, das sollte sich bald herausstellen, reichten die Sommersprossen völlig aus, daß die Bäckersfrau und die anderen Leute die Steffi Austerlitz wieder lustig fanden. Und, was man nicht vergessen darf, einen Mann hat sie später doch noch bekommen, die Steffi. Und zwar, was die Hauptsache ist, einen guten obendrein.

Übung macht den Meister

Daß das Einmaleins eine außerordentlich nützliche Erfindung ist, wird niemand bestreiten können. Wer im Kopfrechnen einigermaßen flink und sicher sein will, muß das Einmaleins im kleinen Finger haben. Das gilt selbst heut noch, im Zeitalter der elektronischen Taschenrechner. Was nämlich tun, wenn gerade kein Taschenrechner zur Hand ist? Auch fällt der elektrische Strom ja zuweilen aus. Oder die Batterien sind hin, und frische gibt's nicht im Augenblick. Deshalb empfiehlt es sich sogar heut noch, das Einmaleins zu erlernen. Ganz zu schweigen von Herrn Klingsors Zeiten, in denen es elektronische Taschenrechner noch gar nicht gegeben hat.

Bei Herrn Klingsor verging denn auch keine Rechenstunde, ohne daß er mit seinen Schulkindern das kleine Einmaleins geübt hätte: »Übung macht den Meister«, so heißt es ja nicht umsonst im Sprichwort. Übrigens mußten die Kinder der dritten Klasse das kleine Einmaleins schon deshalb beherrschen lernen, weil nach Weihnachten das große Einmaleins auf dem Lehrplan stand.

Was das kleine Einmaleins betraf, konnte Herr Klingsor eigentlich recht zufrieden sein. Nicht nur beim Lottchen Holdgrün, auch bei den andern Kindern der Klasse klappte es wie am Schnürchen damit. Bloß Appelts Willi machte da leider eine Ausnahme.

»Mein lieber Willi«, ermahnte ihn der Herr Klingsor. »Das Einmaleins ist kein Vöglein, das einem zufliegt. Das Einmaleins muß man lernen und üben. Man muß es üben, üben und immer wieder üben. Auch wenn man zufällig Willi Appelt heißt.«

Aber der Willi Appelt machte sich nichts aus Herrn Klingsors Ermahnungen. Erstens hatte er keine Lust, das Einmaleins zu erlernen. Und zweitens war er zu faul dazu. Schlicht und einfach zu faul.

Richtig ärgerlich wurde Herr Klingsor dann, als das Siebenereinmaleins an der Reihe war. Von diesem Einmaleins heißt es ja, daß es besonders schwierig sei. Deshalb gaben sich die Kinder der dritten Klasse auch besonders viel Mühe damit und übten es besonders fleißig und gewissenhaft ein – bis auf den faulen Willi natürlich. Weshalb sollte er ausgerechnet das Siebenereinmaleins lernen? Das wäre ihm viel zu umständlich gewesen!

»So geht das nicht weiter, Willi«, meinte Herr Klingsor. »Allmählich verliere ich die Geduld mit dir. Paß gut auf, was ich dir jetzt sage! Ich gebe dir Zeit bis übermorgen. Kannst du bis dahin das Siebenereinmaleins, ist es gut. Und kannst du es nicht, dann erlebst du was!«

Zwei Tage verstrichen, dann stellte es sich heraus, daß Appelts Willi das Siebenereinmaleins noch immer nicht gelernt hatte.

»Na schön, wie du meinst.« Der Herr Klingsor ließ sich nicht aus der Ruhe bringen. Er schimpfte nicht mit dem faulen Willi, er gab ihm auch keine Strafe auf. Und nachsitzen ließ er ihn auch nicht.

Herr Klingsor hatte sich etwas anderes ausgedacht für den Willi Appelt, etwas besonders Wirksames, wie sich bald zeigen sollte.

Es war in der Nacht darauf. Nichts Böses ahnend, war Appelts Willi zu Bett gegangen und eingeschlafen. Er schlief wie ein Stein – aber nur bis zum Anbruch der Mitternachtsstunde: genau mit dem zwölften Glockenschlag wurde er plötzlich wach.

Doch war es nicht etwa die Mitternachtsglocke gewesen, die ihn geweckt hatte, nein! Er war davon wachgeworden, daß er mit einem Mal etwas Kaltes auf seinem Bauch verspürt hatte. Etwas Eiskaltes, um genau zu sein!

Als er die Augen aufschlug, sah er mit Schrecken – nun, was denn wohl?

Es saß eine weiße Gestalt bei ihm auf der Bettkante! Eine weiße Gestalt mit entsetzlichen Glotzaugen!

Appelts Willi wußte sofort, daß das ein Gespenst war. Und daß das Gespenst es gewesen war, das ihm mit seiner kalten Gespensterhand auf den nackten Bauch gepatscht hatte.

Dieses Gespenst war das Einmaleinsgespenst. Herr Klingsor hatte es Appelts Willi ans Bett gesandt. Das war es, was er mit seiner Warnung gemeint hatte!

»Wüvül üst sübenmol süben?« hat das Gespenst den Willi mit seiner hohlen Gespensterstimme gefragt.

Und dann hat es mit ihm die halbe Nacht lang das Siebenereinmaleins geübt. Und bei jeder falschen Antwort, da hat es dem Willi mit seiner eiskalten Gespensterhand auf den nackten Bauch gepatscht, daß es nur so gepfatscht hat.

Sehr angenehm ist das nicht gewesen, wie man sich denken kann. Nein, im Gegenteil. Angenehm war das ganz und gar nicht für Appelts Willi.

Zeit seines ganzen weiteren Lebens hat der Willi die kalte Gespensterhand auf dem Bauch nicht vergessen können. Und die Haare haben sich ihm gesträubt, sobald er nur irgendwo eine Sieben gesehen hat.

Aber das Siebenereinmaleins...

Das Siebenereinmaleins hat der Willi Appelt am andern Morgen nur so heruntergeschnurrt, als der Herr Klingsor ihn danach fragte: vorwärts und rückwärts, und kreuz und quer durcheinander, wie es gerade kam.

Und wer räumt das alles weg?

Der Herr Schuldiener Büttner war ein fleißiger und geduldiger Mensch. Es war ja nicht damit abgetan, daß er Tinte nachfüllte und den Kindern in der großen Pause heiße Würstel und Semmeln verkaufte. Auch sonst gab es eine Menge für ihn zu tun an der Rudolfschule. Besonders während des Winterhalbjahrs, wenn er in allen Räumen die Öfen heizen mußte, und zwar mit Kohle. Es gab nämlich damals noch keine Zentralheizung in den Schulen. Das war gewiß keine leichte Arbeit für ihn. Aber er tat sie ohne zu murren, denn jemand mußte sie schließlich tun.

Eigentlich gab es nur eine Arbeit, die dem Herrn Schuldiener Büttner richtig zuwider war – eine einzige. Wenn er bloß daran dachte, konnte es vorkommen, daß er laut vor sich hinzuschimpfen begann:

»Ach, diese Schmutzfinken! Kann man es ihnen wirklich nicht beibringen? Irgendwie müßte es doch wohl möglich sein, ihnen das beizubringen!«

»Was gibt's denn?« fragte ihn der Herr Klingsor, als er ihn eines Tages am Ende der großen Pause wieder mal schimpfen hörte.

»No, was denn wohl!« Der Herr Schuldiener Büttner wies seufzend über den Schulhof. »So sieht's hier nach jeder Pause aus. Alles voller Papier und Abfall! Die Herren Kinder denken sich überhaupt nichts dabei. Was ihnen aus der Hand fällt, bleibt einfach liegen. Der alte Büttner wird's dann schon wegräumen.«

Dem Herrn Klingsor tat der Herr Schuldiener Büttner leid. Gab es vielleicht eine Möglichkeit, ihm zu helfen? Aber natürlich! »Wissen Sie was?« versprach er ihm. »Morgen werden Sie Augen machen. Ich glaube nämlich, mir ist da was eingefallen.«

Der nächste Tag war ein schöner sonniger Herbsttag, einer von diesen sommerlich warmen Tagen, an denen man staunend feststellt: »Das muß wohl ein Irrtum sein! Haben wir denn nicht Ende Oktober? – und noch so warm!«

Alle Kinder der Rudolfschule verbrachten die große Pause an diesem herrlichen Tag auf dem Schulhof. Nur ungern kehrten sie nach dem Läuten ins Haus zurück. Bloß die Kinder der dritten Klasse durften noch eine Weile draußenbleiben.

»Seht euch mal, bitte, auf unserm Schulhof um«, sagte Herr Klingsor zu ihnen. »Ob euch wohl etwas auffällt?«

Die Kinder blickten sich fragend an, sie wußten nicht, was Herr Klingsor von ihnen wollte. Schließlich meinte die Hilde Bienert: »Was soll uns denn, bitte, auffallen auf dem Schulhof?«

»Alles, was ihn verschandelt. Zum Beispiel das viele Papier, das da überall rumliegt.«

»Ach so!« meinte Knoblochs Paulchen. »Und auch die Butterbrottüten, nicht wahr?«

»Und die Brotrinden!« riefen die Dreithaler-Zwillinge wie aus einem Mund. »Und die Orangenschalen!«

Nun rief es von allen Seiten: »Dort liegt ein angebissener Apfel… Und da eine halbe Semmel… Ein Notizzettel… Ein Stück Zeitungspapier… Eine Fahrkarte von der Straßenbahn… Und da noch eine!«

»Und was meint ihr wohl, wie das alles auf unsern Schulhof gekommen ist?« fragte Herr Klingsor dann.

»Na, ganz einfach, Herr Lehrer!« rief Appelts Willi. »Die Kinder haben es während der Pause fallen lassen!«

»Und wer soll es wieder aufheben?«

»No, der Herr Schuldiener Büttner natürlich«, meinte die Steffi Austerlitz, und alle anderen Kinder nickten.

»Ja, der Herr Schuldiener Büttner natürlich.« Herrn Klingsors Gesicht wurde ernst. »Habt ihr euch eigentlich schon mal darüber Gedanken gemacht, was das heißt? Stellt euch doch bitte vor, wie oft sich der arme Herr Schuldiener bücken muß, wenn er all das aufklauben muß, was die Kinder so fallen lassen. Nach jeder Pause, an jedem Schultag. Ich werde euch mal was zeigen...«

Er murmelte einen seiner geheimen Sprüche und schnalzte leicht mit den Fingern. Da verdunkelte sich ganz plötzlich die Sonne über dem Schulhof, als hätte sich eine schwarze Wolke davorgeschoben. Und dann fiel Papier vom Himmel. Butterbrottüten, Straßenbahnfahrkarten, kleine und größere Fetzen Zeitungspapier, manche ein bißchen fettig, manche mit Marmelade vollgeschmiert.

Herrn Klingsors Schulkinder fanden das ungeheuer lustig. Sie kamen sich vor wie in einem Herbstwald, mitten im dichten Laubfall. Nur daß es eben Papier war, was da auf sie herabfiel.

Und nicht nur Papier! Auch Orangenschalen, auch Brotrinden, dann und wann eine halbe Semmel, hin und wieder ein angebissener Apfel.

Dies alles fiel auf den Schulhof, wo es sich unaufhaltsam zu häufen begann. Schon reichte der Abfall den Kindern bis zu den Knöcheln, schon standen sie bis an die Waden drin. Da wären die meisten Kinder am liebsten davongelaufen. Aber sie standen an

ihren Plätzen wie festgenagelt und brachten die Füße nicht mehr vom Boden hoch.

»Bitte, Herr Lehrer!« rief das Mariechen Kleinwächter ängstlich. »Bitte, machen Sie, daß das wieder aufhört!«

»Na gut.« Der Herr Lehrer Klingsor wollte den Kindern ja keine Angst machen. Also schnalzte er mit den Fingern und murmelte einen anderen Zauberspruch. Er hatte ihn kaum gemurmelt, da hörte es auch schon auf, Papier und Orangenschalen zu regnen. Nur ein paar Zeitungsfetzen kamen noch langsam, langsam herabgesegelt vom Himmel. Das dunkle Gewölk war verschwunden, die Sonne schien wie zuvor. Und so hätte man meinen können, es sei überhaupt nichts geschehen – hätte nicht auf dem Schulhof ein riesiger Haufen Abfall gelegen.

»Dies alles«, erklärte Herr Klingsor den Kindern nach einem Blick auf die Taschenuhr, »hat der Herr Schuldiener Büttner im Lauf der vergangenen achteinhalb Jahre und siebenundvierzig Tage den Schulkindern auf dem Schulhof nachräumen müssen. Und wenn ich euch hätte zeigen wollen, wieviel es in seinem ganzen Schuldienerleben gewesen ist, würdet ihr bis an die Ohren im Abfall stecken. Stellt euch das bitte vor!«

Der arme Herr Büttner! Nie mehr wollten Herrn Klingsors Kinder ein einziges Stückchen Papier in der Pause wegwerfen. Jetzt und in aller Zukunft nicht! Das versprachen sie hoch und heilig.

»Na großartig, Kinder! Da können wir also den ganzen Plunder wieder verschwinden lassen.«

Herr Klingsor schnalzte leicht mit zwei Fingern und pfiff durch die Zähne. Und eins-zwei-drei war der Abfallhaufen verschwunden, als ob es ihn nie gegeben hätte. Bloß was an Unrat bereits zuvor auf dem Schulhof gelegen hatte, lag selbstverständlich noch immer da. Aber nicht lange! Die Kinder lasen es auf und warfen es in die beiden Abfallkörbe.

Der Herr Schuldiener Büttner staunte nicht schlecht, als er kurz danach auf den Schulhof kam.

»Donnerwetter!« rief er und rieb sich die Augen. »Ich glaub fast, mir macht's was vor! Kein einziges Stück Papier liegt herum – und sonst auch nichts! Wann hat's denn das nach der großen Pause jemals gegeben?«

Was soll ich euch sagen? Von diesem Tag an haben die Buben und Mädchen der dritten Klasse tatsächlich in den Schulpausen nichts mehr weggeworfen, außer in einen der beiden Abfallkörbe. Damit sind sie den andern Kindern mit gutem Beispiel vorangegangen. Und gute Beispiele können ja manchmal Wunder wirken. Besonders wenn jemand in aller Stille ein bißchen nachhilft, der zaubern kann.

Kurzum, der Herr Schuldiener Büttner hat sich immer seltener darüber ärgern müssen, daß ihm die Schulkinder unnütze Arbeit machten: Sie hatten sich einfach daran gewöhnt, den Schulhof sauberzuhalten. Auch das Treppenhaus übrigens, auch die Gänge und Klassenzimmer. Und dabei ist es auch in Zukunft geblieben.

Viel, viel später noch, als ich dann selbst schon ein Schuljunge war, haben wir an der Rudolfschule in Reichenberg drauf geachtet, daß es in unserer Schule immer manierlich ausgesehen hat. Weil das einfach bei uns dort so üblich gewesen ist, noch von Herrn Klingsors Zeiten her.

Der kleine Jantsch

Der kleine Jantsch war ein böser Junge, das war an der ganzen Rudolfschule bekannt. Damals ging er in die vierte Klasse, dort machte er dem Herrn Lehrer Effenberger das Leben schwer. Man weiß ja, wie so was geht.

Bei den Antworten in der Heimatkunde stellt man sich dumm. Und wenn der Herr Lehrer die Antwort richtigstellt, sagt man ganz unschuldig: »Bitte, Herr Lehrer, das ist doch Blödsinn.«

In der Rechenstunde schießt man mit einem Blasrohr weichgekaute Papierkugeln an die Tafel. In der Musikstunde singt man absichtlich laut und falsch daneben. Es gibt hundert Tierstimmen, die man nachahmen kann. Man bringt Maikäfer in die Schule mit und setzt sie dort aus. Oder Regenwürmer. Auch weiße Mäuse, im richtigen Augenblick losgelassen, beleben den Unterricht ungemein und sorgen für Abwechslung.

Es verging kaum ein Tag, an dem sich der Herr Lehrer Effenberger im Lehrerzimmer nicht mindestens einmal beklagt hätte über den kleinen Jantsch. »Dieser Junge ist eine Strafe Gottes! Ich bin schon ganz krank vor Ärger. Einmal verliere ich noch die Nerven bei diesem Bengel!«

Ja, und genauso ist es dann auch gekommen. Es geschah eines Nachmittags während der Zeichenstunde. Plötzlich wurde die Tür zu Herrn Klingsors Klassenzimmer aufgerissen, und hereinstürmte der Herr Lehrer Effenberger. Krebsrot war er im Gesicht, und die Gerta Hoffmann wollte sogar gesehen haben, daß seine Augen geglüht hätten wie zwei feurige Kohlen.

Mit der linken Hand hatte der Herr Lehrer Effenberger die Tür geöffnet, mit der rechten hielt er den kleinen Jantsch. Er hielt ihn am Kragen gepackt und zerrte ihn in Herrn Klingsors Klasse.

»Was soll ich bloß mit ihm machen!« rief er. »Sagen Sie mir, Herr Kollege Klingsor: Was soll ich bloß machen mit diesem bösen Jungen! Er schafft es tatsächlich noch, daß mich eines Tages der Schlag trifft!«

Der Herr Effenberger war wirklich sehr aufgeregt. Der kleine Jantsch schien hingegen bei bester Laune zu sein. Während ihn der Herr Effenberger am Kragen hochhielt, machte er nichts wie Faxen. Er schnitt Gesichter und zappelte wie ein wildgewordener Hampelmann mit Armen und Beinen. Darüber mußten Herrn Klingsors Kinder natürlich lachen. Und je mehr sie lachten, desto vergnügter wurde der kleine Jantsch.

»O dieser Lausebengel!« Der Herr Effenberger war schon ganz blau im Gesicht vor Zorn. Er war fast so blau wie ein Tintenteufel, was überaus komisch aussah.

Herr Klingsor versuchte ihn zu beruhigen: »Nicht doch! Nicht doch, Herr Kollege! Wir kennen den kleinen Jantsch doch alle! Muß man sich da noch eigens über ihn aufregen?«

Es ist anzunehmen, daß Herr Klingsor bei diesen Worten zwei- oder dreimal leicht mit den Fingern geschnalzt hat, auf seine besondere Art natürlich – und dann geschah etwas ganz und gar Unerwartetes. Aber nicht etwa mit dem kleinen Jantsch, o nein! Es geschah mit Herrn Effenberger. Plötzlich war er wie ausgewechselt. Aller Zorn war verraucht, aus seinem Gesicht wich die blaue Farbe, die finstere Miene erhellte sich – und von einem Augenblick auf den andern brach er in schallendes Gelächter aus.

»Ha-ha-ha-ha-haa!« Prustend vor Lachen hielt er den kleinen Jantsch am Kragen hoch wie ein Karnikkel. »Lustig, mein Lieber, lustig! Ha-ha-ha-haaa! Du gefällst mir! Ich weiß ja, du bist der geborene Kasperl!«

Der kleine Jantsch war verdutzt. Er war so verdutzt, daß er völlig darauf vergaß, seine Faxen zu machen.

»Und jetzt…« Der Herr Effenberger stellte ihn auf die Füße, dann gab er ihm einen Klaps auf den Hosenboden. »Schluß mit der Vorstellung! Nun verzieh dich wieder in unsere Klasse!«

Und Herrn Klingsors Zauber hielt an.

Von jetzt an konnte der kleine Jantsch so schlimm sein, so frech und so ungezogen, wie er nur wollte: Er schaffte es einfach nicht mehr, Herrn Effenberger zu ärgern. Was er auch anstellen mochte, Herr Effenberger sah schmunzelnd darüber hinweg, er ließ sich nie mehr vom kleinen Jantsch aus der Ruhe bringen.

»Das gibt's doch gar nicht!« dachte der kleine Jantsch. »Dem werd ich's schon zeigen! Ob ich es mal mit Niespulver versuche? Oder mit einer Vo-

gelpfeife? Oder – noch besser! – mit ein paar Knallfröschen?«

Aber es war wie verhext. Selbst mit Knallfröschen
war beim Herrn Lehrer Effenberger nichts mehr zu
machen. Von jetzt an war und blieb er die Ruhe
selbst, wenn der kleine Jantsch seinen Unfug trieb.

Und siehe da! – schon nach drei, vier Wochen war
auch der kleine Jantsch wie ausgewechselt. Seit der
Herr Lehrer Effenberger sich nicht mehr ärgern ließ,
machte es überhaupt keinen Spaß mehr, ein böser
Junge zu sein. Und da ließ er es eben bleiben, der kleine Jantsch.

Er muhte und mähte nicht mehr im Unterricht, er
schoß nie mehr Papierkugeln an die Wandtafel, nie
mehr verstreute er Niespulver, nie mehr ließ er Maikäfer in der Schule los oder weiße Mäuse. Selbst
Knallfrösche brachte er nie mehr mit.

Außer im Fasching natürlich. Aber im Fasching ist
das ja etwas anderes.

Der Löwe ist ein Raubtier

Herr Klingsor war ein großartiger Zeichner, das sind andere Lehrer auch. Aber wenn der Herr Klingsor im Unterricht eine Rose an die Wandtafel zeichnete, dann begann sie im nächsten Augenblick richtig zu duften. Und genauso war es mit allen anderen Blumen. Gleichgültig ob er Veilchen zeichnete oder Narzissen, Nelken oder Hyazinthen: sie alle begannen sofort zu duften.

Zeichnete der Herr Klingsor ein paar Vögel an die Tafel, etwa Amseln oder Drosseln, Rotkehlchen oder Stieglitze, dann fingen sie auf der Stelle an zu zwitschern und zu pfeifen. Und damit noch nicht genug!

Einmal hatte er einen Specht an die Tafel gezeichnet und kürzlich sogar eine Nachtigall. Der Specht hatte mit dem Schnabel so fest an die Tafel geklopft, daß Herr Klingsor ihn rasch wieder wegwischen mußte, sonst hätte die Tafel ein Loch bekommen. Und die Nachtigall hatte so herrlich geschlagen, daß es den Kindern ganz weich ums Herz geworden war. Und das blasse Mariechen Kleinwächter hat sogar weinen müssen: so schön war das Lied der Nachtigall.

Ein paar Tage zuvor hatte der Herr Klingsor den Kindern von den Eskimos erzählt, die bekanntlich im ewigen Eis leben und in Iglus hausen.

»Solche Iglus«, erklärte er ihnen, »sind runde Eskimohütten, die nicht aus Holz oder Steinen errichtet werden, sondern aus Schneeziegeln. Und sie sehen ungefähr so aus...«

Er zeichnete mit raschen Strichen eine Eskimohütte an die Wandtafel. Und kaum hatte er richtig damit begonnen, da wurde es seinen Schulkindern schon vom bloßen Hinsehen schrecklich kalt. Rasch zogen sie ihre Mäntel an und setzten die Mützen auf. Und die Annelies Petrak wickelte sich so fest in ihr dickes rotes Wolltuch ein, daß kaum noch die Nasenspitze hervorschaute.

Selbst der Herr Klingsor hatte kalte Finger bekommen. Deshalb bat er den Herbert Löwit und

Appelts Willi: »Ach bitte, ihr beiden, wischt mir doch rasch die Tafel ab, sonst werden wir noch zu Eiszapfen!«

Danach hat Herr Klingsor geschwind ein Negerdorf an die Tafel gezeichnet, genauer gesagt einen afrikanischen Hottentottenkral.

Davon ist es den Kindern rasch wieder warm geworden. Und zwar so gründlich, daß von der Eskimokälte nicht einmal das Lottchen Holdgrün einen Schnupfen bekommen hat.

Tja, und dann ist eines schönen Tages der Herr kaiserlich-königliche Stadt- und Bezirksschulinspektor Tschörner zur Visitation in die dritte Klasse gekommen. Heute würde man sagen: Es war der Herr Schulrat.

Der Herr k.k. Stadt- und Bezirksschulinspektor Tschörner ist ein würdiger und gestrenger Herr gewesen, vor dem alle Lehrerinnen und Lehrer großen Respekt hatten. Und die Schulkinder übrigens auch.

Deshalb saßen sie an diesem Morgen besonders brav und besonders aufrecht in ihren Bänken, und alle arbeiteten im heutigen Unterricht überaus fleißig mit. Der Herr Klingsor konnte mit ihnen zufrieden sein – und der Herr k.k. Stadt- und Bezirksschulinspektor Tschörner auch.

Er saß in der linken hinteren Ecke des Schulzimmers in einem Lehnstuhl, den der Herr Schuldiener Büttner eigens für ihn dort aufgestellt hatte. Die Rechenstunde verlief wie am Schnürchen. Auch an der darauffolgenden Heimatkundestunde gab es nichts auszusetzen. Der Herr Inspektor machte sich eifrig Notizen und nickte von Zeit zu Zeit mit dem Kopf.

Die dritte Stunde war eine Lesestunde. Da wollte Herr Klingsor mit seinen Kindern die Fabel »Der Spatz und der Löwe« durchnehmen. Um die Kinder ein bißchen neugierig zu machen, zeichnete er zunächst einen Löwen an die Wandtafel. Einen richtigen großen Löwen mit einer mächtigen Löwenmähne und allem, was sonst noch zu einem richtigen Löwen gehört. Es war wirklich ein schöner, ein ungemein großer und prächtiger Löwe.

Und dennoch! Sein Aussehen ließ, zumindest in den Augen des Herrn Inspektors, an einer entscheidenden Stelle zu wünschen übrig. Und da ja ein k.k. Stadt- und Bezirksschulinspektor den einfachen Lehrerinnen und Lehrern dann und wann zeigen muß, daß er alles ein bißchen besser weiß und versteht als sie, konnte er der Versuchung auch diesmal nicht widerstehen.

Mit einem Räuspern erhob er sich aus dem Lehnstuhl, ging nach vorn und bemängelte, daß Herr Klingsor dem Löwen zu kleine Zähne gemalt hatte.

»Denn, Herr Kollege«, sagte er mit gewichtiger Miene. »Der Löwe ist ein Raubtier und hat ein Raubtiergebiß. Aber was Sie da gezeichnet haben, sind bestenfalls Mausezähne.«

»Ganz richtig, Herr Schulinspektor. Und wissen Sie auch warum?«

Vermutlich hat der Herr Klingsor in diesem Augenblick leicht mit den Fingern geschnalzt und etwas gemurmelt. Denn plötzlich stieß der Löwe ein fürchterliches Gebrüll aus, tat einen Satz und stürzte sich, von der Tafel weg, auf den Herrn k. k. Stadt- und Bezirksschulinspektor!

Na Mahlzeit!

Was für ein Glück, daß Herrn Klingsors Löwe bloß Mausezähne im Maul hatte und kein Raubtiergebiß! Sonst wäre es gewiß nicht nur um den Herrn k. k. Stadt- und Bezirksschulinspektor Tschörner geschehn gewesen, sondern vermutlich auch um Herrn Klingsor und seine Schulkinder.

Aber wir wissen es ja: Herr Klingsor konnte ein bißchen zaubern. Und bevor noch der Löwe richtig heruntergesprungen war, hat er ihn schnell wieder an

die Tafel zurückgezaubert. Das ist ganz schnell gegangen.

Allerdings hat der Herr k. k. Stadt- und Bezirksschulinspektor Tschörner den weiteren Verlauf der soeben erst begonnenen Lesestunde nicht abgewartet. Vielmehr hat er die Visitation vorzeitig abgebrochen. Und als ihm wenige Wochen später ein dienstliches Schreiben vorgelegt wurde, worin der Herr Lehrer Klingsor um seine Versetzung in einen anderen Schulbezirk ansuchte, da hat der Herr Tschörner dieses Gesuch so schnell und mit solchem Nachdruck befürwortet wie kein anderes je zuvor.

Blumen für Fräulein Kilian

An der Rudolfschule in Reichenberg hat damals eine
ganz junge Lehrerin unterrichtet: das Fräulein Ernestine Kilian. Ich weiß nicht genau, welche Klasse sie
hatte. Vermutlich sind es die großen Mädchen gewesen. Aber ich weiß etwas anderes. Ich weiß, daß
das Fräulein Kilian nicht nur jung gewesen ist, sondern auch sehr, sehr hübsch. Meine Mutter hatte
nämlich ein altes Foto von ihr.

Das Foto zeigte eine schlanke junge Dame mit
schwarzem, über der Stirn gescheitelten Haar und
großen schwarzen Augen. Sie trug eine weiße hoch-
geschlossene Bluse, einen langen schmalen Rock
und zierliche hohe Schnürstiefelchen, wie sie damals
in Mode gewesen sind. Um Fräulein Kilians Lippen
spielte ein leichtes Lächeln. Und in den Augen hatte

sie einen leichten Glanz, als sei sie gerade ein bißchen verliebt.

Neben dem Fräulein Kilian stand auf dem Fen-
sterbrett eine Vase mit Blumen. Damals gab es noch
keine farbigen Fotos. Wer jedoch genauer hinschau-
te, konnte trotzdem erkennen, daß es sich um einen
Strauß von Studentennelken handelte.

Studentennelken sind Fräulein Kilians Lieblings-
blumen gewesen. Und sie selber, das schöne Fräulein Ernestine mit dem schwarzen Haar und den

großen schwarzen Augen, war die Lieblingslehrerin ihrer Schulmädchen.

Auch der Herr Oberlehrer König und die andern Lehrer an der Rudolfschule fanden, daß das Fräulein Kilian eine besonders liebe und nette Kollegin sei – was nicht weiter verwunderlich war. Verwunderlich war es schon eher, daß auch das alte Fräulein Watznauer und das Handarbeitsfräulein der gleichen Meinung waren.

Am besten gefiel das Fräulein Ernestine Kilian dem Herrn Lehrer Klingsor. Sie gefiel ihm eigentlich von Tag zu Tag immer besser. Bis er sich schließlich eingestehen mußte, daß er sich regelrecht in sie verliebt hatte.

Na wenn schon! Es ist ja die selbstverständlichste Sache der Welt, wenn sich ein junger Mann in ein schönes Fräulein verliebt – oder etwa nicht?

Gut und schön also, der Herr Klingsor hatte sich in das Fräulein Ernestine verliebt. Wenn er ihr auf der Treppe begegnete, grüßte er sie von jetzt an immer besonders höflich. Im Lehrerzimmer half er ihr mit einer Verbeugung aus dem Mantel. In den Schulpausen versuchte er regelmäßig, mit ihr ins Gespräch zu kommen. Und bei den Proben des Reichenberger Lehrerinnen- und Lehrergesangsvereins blickte er neuerdings nicht mehr in die Noten: er schaute bloß noch hinüber zum Fräulein Kilian. Aber natürlich so, daß es niemand merkte.

Eines Tages hatte Herr Klingsor zusammen mit Fräulein Kilian die Aufsicht während der Schulpause. Sie standen im ersten Stock auf dem Gang beisammen, unweit vom Herrn Schuldiener Büttner und seinem Würsteltopf. Sie sprachen von diesem, sie sprachen von jenem. Und ganz zufällig erfuhr der Herr Klingsor bei dieser Gelegenheit, welche Blumen seine Kollegin am liebsten von allen mochte – nämlich Studentennelken.

»Die mag ich wirklich!« schwärmte das Fräulein Kilian. »Bloß schade, daß es sie nur im Sommer gibt...«

»Hm-hm...« Ganz plötzlich war dem Herrn Klingsor eine Idee gekommen. Wozu konnte er schließlich zaubern!

Am nächsten Morgen betrat das Fräulein Kilian die Schule mit einem Gesicht, als ob sie Geburtstag hätte. Und als ihr im Treppenhaus, natürlich ganz zufällig, der Herr Klingsor begegnete, rief sie ihm voller Freude zu:

»Stellen Sie sich nur vor, was passiert ist! Gestern haben wir von Studentennelken gesprochen – und heut früh liegt vor meiner Wohnungstür ein ganzer Strauß davon. Und das Ende November! Aber ich kann mir schon denken, von wem sie sind…«

»Wirklich?« Herr Klingsor fragte es nicht ohne leichtes Herzklopfen.

»O ja!« antwortete das Fräulein Ernestine und wurde tatsächlich ein bißchen rot dabei, was ihr besonders gut zu Gesicht stand.

Von jetzt an sorgte Herr Klingsor dafür, daß das Fräulein Kilian jeden zweiten Morgen einen Strauß Studentennelken auf der Schwelle zu ihrer Wohnung vorfand. Und dies Ende November, wie gesagt!

Und das Fräulein Ernestine? Jeden zweiten Tag sah sie noch ein bißchen hübscher aus als zuvor, jeden zweiten Tag wirkte sie noch ein bißchen vergnügter. Bis sich Herr Klingsor endlich ein Herz faßte. »Sagen Sie, Fräulein Kollegin«, fragte er sie im Lehrerzimmer, wobei er ihr aus dem Mantel half. »Und Sie können sich wirklich denken, von wem Sie die Blumen verehrt bekommen?«

»Aber ja, Herr Kollege Klingsor! Ich weiß zwar nicht, wie er das Ende November schafft – aber eigentlich können sie nur vom Herrn Fachlehrer Teubner sein.«

Da war es Herrn Klingsor, als habe ihm jemand den Boden unter den Füßen weggezogen.

Herr Josef Teubner, Fachlehrer für Geschichte und Deutsch an der Ersten Bürgerschule für Knaben in Reichenberg! Ein nicht mehr ganz junger, nicht mehr ganz schlanker, aber gescheiter und freundlicher Mensch. Immer gut aufgelegt, immer gut angezogen. Und ausgerechnet ihn, den Herrn Teubner, hatte das Fräulein Kilian in Verdacht mit den Blumensträußen vor ihrer Wohnungstür...

»Was Sie nicht sagen! Und sonst käme niemand in Frage, Fräulein Kollegin?«

»Ach, wissen Sie – der Herr Fachlehrer Teubner macht mir ja schon seit langem den Hof. Eigentlich mag ich ihn auch ganz gern. Und seit er mir regelmäßig die Blumen schickt, bin ich mir ziemlich sicher, daß ich ihn nehmen werde.«

Ja, so war das nun leider.

Zwar konnte Herr Klingsor ein bißchen zaubern, das wissen wir – aber was half ihm das? Wenn sich das schöne junge Fräulein Ernestine Kilian dazu entschlossen hatte, den Herrn Fachlehrer Teubner zum Mann zu nehmen, dann konnte, mehr noch: dann durfte Herr Klingsor nichts daran ändern.

Acht Tage später entdeckte er in der Samstags-
ausgabe der Reichenberger Zeitung eine Anzeige:

Ihre Verlobung geben bekannt:

Ernestine Kilian   ✳   *Josef Teubner*

Lehrerin   *Fachlehrer*

Nachdem er die Anzeige gelesen hatte, legte Herr
Klingsor die Zeitung aus der Hand und blieb eine
Weile ganz still sitzen. Dann schrieb er zunächst, wie
sich das gehört, einen Glückwunsch an das verlobte
Paar. Und danach schrieb er ein Gesuch an die kaiserlich-königliche Landesschulinspektion in Prag,
worin er aus persönlichen Gründen um seine Versetzung an einen anderen Ort bat – und zwar mög-
lichst weit weg von Reichenberg.

Rascher Bescheid

Die kaiserlich-königliche Landesschulinspektion in Prag war dafür bekannt, daß sie sich mit ihren Entscheidungen keineswegs übereilte. Wer ein Gesuch bei ihr eingereicht hatte, mußte normalerweise damit rechnen, daß er frühestens nach Ablauf eines halben Jahres einen Bescheid erhielt. Und der Bescheid fiel ganz und gar nicht immer so aus, wie man sich ihn erhofft hatte.

Anders erging es Herrn Klingsor. Mag sein, daß er das bewußte Gesuch mit einer besonderen Tinte geschrieben hatte oder auf einen besonderen Briefbogen. Mag sein, daß er zweimal leicht mit den Fingern geschnalzt und einen seiner geheimen Sprüche gemurmelt hatte, bevor er den Umschlag mit dem Gesuch in den Briefkasten steckte. Und nach allem, was sich kürzlich in der Lesestunde zugetragen hatte, dürfte wohl auch der Herr k. k. Stadt- und Bezirksschulinspektor Tschörner das Seine dazugetan haben...

Es vergingen jedenfalls keine zehn Tage, da erhielt der Herr Klingsor aus Prag ein amtliches Schreiben der k. k. Landesschulinspektion. Darin wurde ihm mitgeteilt, seinem Ansuchen werde stattgegeben: Mit Wirkung vom 1. Jänner nächsten Jahres habe man ihn der einklassigen Volksschule von Hinterseifen im Erzgebirge zugeteilt. Diese Entscheidung wurde mit zwei schwungvollen Unterschriften und drei aufgestempelten Dienstsiegeln bestätigt.

Hinterseifen war ein ganz, ganz kleiner Ort, dicht an der böhmisch-sächsischen Grenze, wo sich, wie man so schön zu sagen pflegt, Fuchs und Has gute Nacht sagen. Kein Lehrer im ganzen Königreich Böhmen hätte sich freiwillig dorthin versetzen lassen. Doch Herrn Klingsor kam das gerade recht, er hatte es ja nicht anders gewollt.

Noch am gleichen Nachmittag suchte er den Herrn Oberlehrer König in dessen Kanzlei auf und legte ihm das Schreiben der kaiserlich-königlichen Landesschulinspektion auf den Schreibtisch.

Der Herr Oberlehrer König traute seinen Augen nicht, als er das Schreiben studierte. Er las es einmal, er las es zweimal – dann sagte er kopfschüttelnd:

»Schade, schade, Herr Kollege Klingsor! Hat es Ihnen denn nicht gefallen bei uns in Reichenberg? Ich hätte Sie wirklich gern an der Rudolfschule behalten, wissen Sie.«

»Gefallen?« meinte Herr Klingsor mit einem Achselzucken. »Gefallen hat es mir schon in Reichenberg. Sehr sogar. Aber ich habe persönliche Gründe für meine Versetzung, Herr Oberlehrer – das bitte ich zu verstehen.«

Welcher Art seine Gründe waren, darüber schwieg sich Herr Klingsor aus.

Auch im Gespräch mit den anderen Lehrerinnen und Lehrern erwähnte er keine Silbe davon. Es tat ihnen allen leid, daß Herr Klingsor von ihnen wegging, noch dazu dort hinauf ins Gebirge.

»Ist Ihnen überhaupt klar, Herr Kollege, wohin Sie da kommen?« warnte ihn der Herr Lehrer Effenberger. »Da kommen Sie in die tiefste Wildnis!«

Und das Fräulein Kilian, ahnungslos wie sie nun einmal war, das schöne Fräulein Ernestine Kilian meinte bedauernd: »Wie schade, Herr Klingsor. Nun werden Sie ja bei unserer Hochzeit gar nicht dabei sein können.«

»Das befürchte ich leider auch, Fräulein Kilian«, sagte Herr Klingsor. »Aber ich krieg doch auf jeden Fall eine Anzeige, ja?«

Er wollte ihr wenigstens ein paar Blumen zur Hochzeit schicken, der künftigen Frau Fachlehrer Teubner. Studentennelken natürlich – was für Blumen denn sonst?

Seinen Schulkindern gegenüber erwähnte Herr Klingsor vorläufig lieber noch nichts von seiner Versetzung. Sie würden es früh genug erfahren. Einstweilen tat er, als sei überhaupt nichts geschehen. Und das war wohl das Beste, was er mit Rücksicht auf die Kinder tun konnte.

Wollen wir singen, Kinder?

Der erste Schnee fiel, in den Auslagen der Geschäfte waren die ersten Tannenzweige zu sehen, die ersten Weihnachtskerzen, die ersten Lebkuchen. Auch in der Rudolfschule begann es zu weihnachten, alle Tage ein wenig mehr.

Am ersten Schultag nach den Sommerferien hatte Herr Klingsor die dritte Klasse zum ersten Mal betreten; am letzten Schultag vor den Weihnachtsferien sollte er sie für immer verlassen. Er hatte ein bißchen Sorge davor – und plötzlich war dann der Tag gekommen.

Die Kinder ahnten ja glücklicherweise noch nichts, die freuten sich auf das Christkind und auf die Feiertage. Bloß dem Herrn Lehrer Klingsor, dem war es heute ausnehmend schwer ums Herz. Wie sollte er es den Kindern beibringen, daß er aus Reichenberg wegging?

Sie alle, die Hilde Bienert, der Herbert Löwit, die Dreithaler-Zwillinge, Knoblochs Paulchen, das blasse Mariechen Kleinwächter, Hampels Hugo und Bergmanns Eva: sie alle, wie sie auch hießen, waren ihm sehr ans Herz gewachsen. Wie sehr, das merkte er eigentlich jetzt erst.

Wie damals, an ihrem ersten gemeinsamen Schultag, holte Herr Klingsor auch heute wieder die Geige hervor und setzte den Bogen an.

»Wollen wir miteinander singen, Kinder?«

Nun sangen sie alle Weihnachtslieder, die sich die Kinder wünschten, eins nach dem andern. Herr Klingsor spielte dazu auf der Geige. Und er spielte so schön, daß die Kinder es nie mehr vergessen konnten. Noch als Großmütter, noch als Großväter haben sie ihren Enkelkindern manchmal davon erzählt, wie schön der Herr Klingsor damals gespielt hat auf seiner Geige.

Und noch etwas haben sie nicht vergessen, die Kinder aus der dritten Klasse!

Ganz zuletzt, nachdem sie schon alle Weihnachtslieder gesungen hatten, die letzte Schulstunde vor den Ferien ging allmählich zu Ende: Ganz zuletzt hat sich das Mariechen Kleinwächter noch gemeldet, das stille blasse Mariechen.

»Ja, was gibt's denn, Mariechen?« hat der Herr Klingsor gefragt.

»Ich hätte noch eine Bitte, Herr Lehrer«, hat das Mariechen mit leiser Stimme geantwortet, und es ist über und über rotgeworden dabei. »Könnten wir nicht das Lied singen, das ich von allen Weihnachtsliedern am liebsten mag? Es heißt ›Freu dich, Erd und Sternenzelt‹ – aber ich weiß nicht, ob Sie es überhaupt kennen...«

Wie hätte es der Herr Klingsor nicht kennen sollen, das schöne alte böhmische Weihnachtslied! Er kannte es, und das Mariechen Kleinwächter kannte es, aber die andern Kinder kannten es leider nicht.

»Dann wirst du es ihnen halt vorsingen müssen«, sagte Herr Klingsor, als ob es die selbstverständlichste Sache der Welt sei.

»Ich allein?« fragte das Mariechen ängstlich. »Aber ich weiß nicht, bitte, ob ich das kann...«

»Du kannst es, Mariechen«, sagte Herr Klingsor und setzte die Geige an.

Was nun geschah, hätte keines der Kinder für möglich gehalten: Das blasse Mariechen Kleinwächter schloß die Augen und fing zu singen an. Ganz

allein sang es, von Herrn Klingsor begleitet, das alte Weihnachtslied.

Von der zweiten Strophe an sangen die andern Kinder das immer wiederkehrende Halleluja mit. Und alle waren erstaunt darüber, wie schön und klar das Mariechen Kleinwächter singen konnte. Das hätte ihm niemand zugetraut, das Mariechen sich selbst vermutlich am allerwenigsten.

»Schön hast du das gesungen, Mariechen!« sagte Herr Klingsor. Und das Mariechen war stolz und froh darüber, es hatte vor lauter Aufregung rote Backen bekommen.

Später verlor sich die Röte allmählich wieder – aber nicht ganz. Ein wenig davon blieb für immer zurück auf Mariechens Wangen. Das stand ihm sehr gut zu Gesicht, dem Mariechen Kleinwächter, das von jetzt an nie mehr das blasse Mariechen genannt wurde: Dazu bestand ja kein Grund mehr.

Die letzte Schulstunde vor den Weihnachtsferien war zu Ende, im Treppenhaus schwenkte der Herr Schuldiener Büttner die Glocke. Und nun hätte Herr Klingsor den Kindern eigentlich sagen müssen, daß er im neuen Jahr nicht mehr kommen würde...

Warum er es ihnen schließlich doch nicht gesagt hat?

Er hat ihnen wohl die Weihnachtsfreude nicht trüben wollen. Nach den Ferien war es früh genug, wenn sie alles erfuhren. Also hat er ihnen nur frohe Feiertage gewünscht. Und zum Abschied hat er dann jedem Kind noch einzeln die Hand gegeben. Das war sonst nicht üblich.

Die siebenunddreißig Kinder der dritten Klasse haben sich nichts gedacht dabei, sie dachten an Weihnachten und ans Christkind.

Erst viel später, am Morgen des ersten Schultages nach den Weihnachtsferien, haben sie dann begriffen, weshalb ihnen der Herr Lehrer Klingsor am letzten Schultag des alten Jahres allen noch einmal die Hand gedrückt hatte.

Lieber Herr Klingsor!

Am Morgen des ersten Schultages nach den Weihnachtsferien waren die Kinder der dritten Klasse noch völlig ahnungslos. Draußen herrschte strenger Frost. Mit heißen roten Gesichtern saßen sie in den Schulbänken und warteten auf Herrn Klingsor. Im Treppenhaus läutete der Herr Schuldiener Büttner die erste Stunde ein.

Die Tür des Klassenzimmers wurde geöffnet – herein kam, zum großen Erstaunen der Kinder, das Fräulein Watznauer.

Fräulein Watznauer war eine ältere, etwas dickliche Dame mit streng in der Mitte gescheiteltem grauen Haar. Auf der Nase trug sie einen Zwicker, und links von der Kinnspitze hatte sie eine große Warze.

»Grüß Gott, Kinder.« Fräulein Watznauer musterte die Klasse mit prüfendem Blick. »Warum starrt ihr mich denn so an?«

»Ist der Herr Lehrer Klingsor denn bitte krank?« fragte die Steffi Austerlitz.

»Nein«, antwortete ihr das Fräulein Watznauer. »Er ist an eine kleine Schule im Erzgebirge versetzt worden. Von jetzt an bin ich eure Lehrerin.«

Die Kinder erschraken. Fräulein Watznauer war nämlich an der ganzen Rudolfschule dafür bekannt, daß sie besonders streng war und keinen Spaß verstand. Und ausgerechnet sie hatte nun die dritte Klasse übernommen! Das konnte ja gut werden.

Fräulein Watznauer thronte hinter dem Lehrerpult wie eine Königin. Eine Königin, die vergessen hatte, ihre Krone aufzusetzen. »Merkt euch das eine, Kinder!« sagte sie strengen Blickes. »Bei mir muß man aufrecht sitzen im Unterricht. Und ich mag es nicht, wenn man schwätzt. Außerdem...«

Was sie außerdem sagen wollte, haben die Kinder der dritten Klasse nicht mehr erfahren. Denn gerade in diesem Augenblick klopfte es an die Klassentür.

»Ja bitte?« Es war Fräulein Watznauers Stimme anzumerken, daß sie sich während des Unterrichts ungern stören ließ.

Der Herr Schuldiener Büttner trat ein. »Entschuldigen Sie die Störung, bittschön.« Er legte ein Päckchen aufs Lehrerpult. »Das ist, bittschön, für Sie mit der Post gekommen.«

»Für mich?« fragte Fräulein Watznauer überrascht. »Das muß wohl ein Irrtum sein.«

Aber es war kein Irrtum, das Päckchen war wirklich für sie bestimmt. Und als sie es öffnete, stellte es sich heraus, daß es nichts wie Briefe enthielt, lauter handgeschriebene Briefe: einen für Fräulein Watznauer – und für jedes einzelne Kind in der Klasse auch einen.

Ich denke mir, daß es nicht schwer zu erraten ist, wer sie geschrieben hatte, die vielen Briefe. Der Herr Klingsor natürlich!

Fräulein Watznauer ließ die Briefe verteilen. Jedes Kind bekam seinen eigenen Brief von Herrn Klingsor: einen, der sich von allen anderen unterschied. Und der Franzl Molnar bekam seinen Brief sogar auf ungarisch.

Die Kinder lasen, was der Herr Klingsor ihnen geschrieben hatte, die Kinder freuten sich. Doch mit einem Mal klopfte das Fräulein Watznauer mit den Schlüsseln aufs Lehrerpult.

»So, Kinder – und nun wird es allmählich Zeit, daß wir etwas tun.«

Fräulein Watznauer zog die rechte obere Schublade auf und ließ Schulaufgabenpapier verteilen, zwei Blätter an jedes Kind. Ach du lieber Himmel! Das hätte es beim Herrn Klingsor gewiß nicht gegeben. Wollte sie etwa gleich in der ersten Stunde nach Weihnachten ein Diktat schreiben lassen?

»So«, sagte Fräulein Watznauer, als die Blätter verteilt waren. »Und nun gebt mal acht!«

Sie ging zur Tafel, sie nahm die Kreide zur Hand. Und dann schrieb sie ein schwungvolles großes »L« an die Wandtafel.

»Nun? Was meint ihr wohl, was das gibt?«

Die Kinder errieten es nicht, es war ihnen nicht nach Rätselraten zumute im Augenblick.

»Na schön, dann gebt acht...« Und was schrieb Fräulein Watznauer jetzt an die Tafel? In ihrer makellos schönen Tafelschrift schrieb sie:

Lieber Herr Klingsor!

Sie hatte das Ausrufezeichen kaum gesetzt, da wußten die Kinder schon, was dies alles bedeuten sollte. Sie durften Herrn Klingsor schreiben! Jedes von ihnen durfte ihm einen Brief schreiben!

»Und danach«, sagte Fräulein Watznauer, »gehen

wir miteinander zur Post, um die Briefe aufzugeben. Aber ich sage euch gleich, bei mir wird in Zweierreihe gegangen. Und, bitte, ohne dabei zu schwätzen.«

Wenn das kein guter Anfang war! Mit einem Mal waren alle Kinder davon überzeugt, es werde sich auch mit dem Fräulein Watznauer auskommen lassen.

Und was soll ich euch sagen? Sie haben mit ihrer Vermutung recht behalten.

Fräulein Watznauer war nämlich eine gute Lehrerin. Und deshalb hat wohl auch sie sich ein wenig aufs Zaubern verstanden. Natürlich nicht ganz so gut, wie sich Herr Klingsor darauf verstanden hatte. Aber doch gut genug.

Denn jeder Lehrer, der wirklich ein guter Lehrer ist, muß wohl ein wenig zaubern können. Jeder auf seine Weise, der eine so und der andere so. Ich glaube, daß man das ruhig behaupten darf.